LA
FAIM
DE
VIVRE

Données de catalogage avant publication (Canada)

Roth, Geneen

    La faim de vivre: à la recherche d'autres nourritures

    Traduction de: Appetites

      1. Femmes - Santé mentale. 2. Estime de soi chez la femme. 3. Réalisation de soi.
      4. Acceptation de soi. 5. Perception de soi chez la femme. 6. Maigreur - Aspect psychologique.
      I. Titre.

RC451.4.W6R6814 1997   158.1'082   C96-941528-1

DISTRIBUTEURS EXCLUSIFS:

* Pour le Canada et les États-Unis:
  LES MESSAGERIES ADP*
  955, rue Amherst,
  Montréal, Québec
  H2L 3K4
  Tél.: (514) 523-1182
  Télécopieur: (514) 939-0406
  * Filiale de Sogides ltée

* Pour la Belgique et le Luxembourg:
  PRESSES DE BELGIQUE S.A.
  Boulevard de l'Europe, 117, B-1301 Wavre
  Tél.: (10) 41-59-66
       (10) 41-78-50
  Télécopieur: (10) 41-20-24

* Pour la Suisse:
  TRANSAT S.A.
  Route des Jeunes, 4 Ter,
  C.P. 125, 1211 Genève 26
  Tél.: (41-22) 342-77-40
  Télécopieur: (41-22) 343-46-46

* Pour la France et les autres pays:
  INTER FORUM
  Immeuble PARYSEINE,
  3 Allée de la Seine, 94854 IVRY Cédex
  Tél.: 01 49 59 11 89/91
  Télécopieur: 01 49 59 11 96
  Commandes: Tél.: 02 38 32 71 00
                Télécopieur: 02 38 32 71 28

Dépôt légal: 1er trimestre 1997
Bibliothèque nationale du Québec

ISBN 2-7619-1358-2

LA FAIM DE VIVRE

À la recherche d'autres nourritures

*Traduit de l'américain
par Louise Drolet*

GENEEN ROTH

auteur de Quand manger remplace aimer

Crise du logement

NAOMI REPLANSKY

J'ai tenté de me faire petite.
J'ai pris un lit étroit.
J'ai serré mes coudes contre moi.
J'ai essayé d'avancer à petits pas prudents,
De réfléchir tout bas
Et de respirer légèrement
Ma part d'air
Sans déranger personne.

Pourtant, vois comme je m'étends malgré moi.
Je reste de plus en plus seule avec moi-même et ne prends rien
Dont je n'aie besoin, mais mes besoins croissent comme de la mauvaise
    herbe,
Envahissant tout: j'encombre cet endroit
Avec tout l'attirail de la vie
Sur lequel tu trébuches chaque jour.

Je respire à pleins poumons
Alors que toi, tu manques d'air.

Excuse-moi de vivre,
Mais, comme je suis vivante,
Si on me donne un centimètre, je prends un mètre,
Et prenant un mètre, je rêve de kilomètres,
Et d'un paysage, sans limite,
Vaste et abandonné.

Toi aussi, tu rêves de la même chose.

PROLOGUE

L'EXPLORATION DES ESPACES INTÉRIEURS

À l'âge de onze ans, j'avais déjà planifié toute ma vie. J'épouserais Richard Chamberlain et porterais des toilettes aussi scintillantes que la queue d'une sirène. Je mangerais des chocolats de luxe chaque fois que j'en aurais envie et aurais trois enfants: deux filles, que je prénommerais Elizabeth et Samantha, et un garçon, qui répondrait au nom de Michael. J'aurais de longues jambes, une épaisse chevelure et un ventre plat. Mais par-dessus tout, je serais très, très célèbre. La plus grande célébrité de tous les temps.

Parvenue à l'adolescence, je me dis que ma tâche consistait à accepter ma vie-du-moment en attendant qu'elle se métamorphose en ma vie-à-venir. À supporter les garçons enjôleurs et un tas de situations avilissantes parce que, à un moment donné du futur, j'étais assurée de mener une vie de rêve.

Les années passèrent. Ma vie non vécue, telle une rivière coulant en parallèle avec ma vie quotidienne, suivait son cours dans mon esprit. Richard Chamberlain céda le pas à Omar Sharif, lui-même détrôné par Harrison Ford; Elizabeth et Samantha devinrent Jennifer et Rebecca, avant d'être évincées par ma conviction que la maternité était une épine dans le pied du féminisme. Hormis mon profond désir d'être vue, d'être reconnue comme quelqu'un que je ne reconnaissais pas encore en moi-même, la moindre facette de ma vie-à-venir — mon lieu de résidence, mes toilettes, mes occupations — subissait une perpétuelle transformation.

Une extrême minceur constituait, bien sûr, la pierre angulaire de la visibilité, de la relation avec un homme, des ornements de cette vie-à-venir; c'était la condition préalable à la réalisation de la totalité de mon rêve. Et comme, aussi mince que je fusse, je vivais dans la hantise de me réveiller le lendemain de nouveau replète, je demeurais à jamais à cinq ou dix kilos de la réalisation de mon rêve.

J'avais vingt-huit ans quand je décidai que je ne suivrais plus jamais de régime. Passées mes premières fringales de pâte de biscuits aux brisures de chocolat, de glace au potiron et de chocolat mi-amer, je me mis à manger des choses que les gens normaux considèrent comme des aliments: du brocoli, des pâtes, du poulet rôti, du potage aux lentilles. Je devins assez mince... et le restai.

Cela fait, il me restait deux questions bénignes à régler avant que les rivières de mes deux vies puissent se fondre l'une dans l'autre: devenir célèbre et tomber amoureuse.

À trente-cinq ans, je rencontrai un homme que je reconnus presque d'emblée comme l'homme de ma vie. Cinq ans plus tard, j'épousais Matt, et bien qu'il ne soit pas une vedette de cinéma, on le prend souvent pour tel. Si tant est que l'on puisse considérer Richard Simmons* comme une vedette de cinéma.

Et bien que je n'aie jamais atteint la sorte de popularité qui fait cliqueter les flashes, il n'est pas rare que des gens me saluent au supermarché parce qu'ils ont vu ma photo sur les pochettes de mes livres. Ils m'arrêtent aussi dans les aéroports, les ascenseurs et presque chaque fois que mes cheveux sont sales et mes vêtements couverts de poils de chat blancs.

D'une façon ou d'une autre, j'ai obtenu ce que je voulais: la silhouette, la reconnaissance de mes talents, l'homme. Pourtant, je me sentais toujours vide et stupide de me sentir vide. Je me jugeais misérable et ingrate, une enfant perpétuellement insatis-

---

* Vedette de la télévision américaine, sorte de «bouffon de la santé» toujours vêtu d'un survêtement de jogging, qui anime des émissions de conditionnement physique. (N.d.T.)

faite. Je me sentais trahie aussi: j'avais respecté toutes les règles du jeu, fait ce que l'on m'avait dit, et il était censé se produire *quelque chose*. J'étais censée posséder une solide estime de moi-même, éprouver un sentiment de plénitude et rayonner. Au lieu de cela, j'alternais follement entre la conviction qu'il me fallait davantage (de tout: d'amour, de visibilité, de biens, de plaisir, de sveltesse, de solitude) pour être satisfaite et le sentiment d'avoir édifié ma vie sur des mensonges. Je me sentais fragile et exténuée. Je devins la proie d'une foule de symptômes mystérieux: diarrhée chronique, grippes incessantes, fortes fièvres. Je fréquentai les cabinets médicaux pendant des années tandis que mon corps s'affaiblissait de plus en plus. Trois de mes amies, un écrivain célèbre, un professeur d'anglais et une sage-femme, étaient malades aussi, la première souffrant de lupus, la deuxième, d'une pneumonie récurrente et la dernière, du syndrome de fatigue chronique. Celles de mes amies qui n'étaient pas malades n'en étaient pas moins lasses et désillusionnées à force de faire des efforts pour se maintenir à la hauteur de leurs rêves d'enfants et des impératifs culturels qui leur dictaient ce qu'elles étaient censées être. Le travail, le soin des enfants, l'exercice, les cours d'amélioration personnelle, l'organisation politique occupaient toute leur vie, mais elles se sentaient comme on se sent après avoir fait bombance: pleines mais insatisfaites. Pleines mais non rassasiées. Toutes évoquaient avec nostalgie l'époque où on n'avait pas besoin d'un agenda pour planifier un dîner trois semaines à l'avance.

Les cabinets médicaux débordaient de femmes. Des mères, des étudiantes, des travailleuses sociales, des cadres de compagnies d'assurance. Comme moi, elles se sentaient exténuées et insuffisantes, et comme moi, elles couraient au cabinet du médecin le plus populaire du moment. Je fis connaissance avec une femme un matin où le médecin avait une heure et demie de retard et où nous avions épuisé les magazines de la salle d'attente. Après avoir échangé la litanie rituelle de nos petits bobos, nous nous racontâmes nos vies. Karine était l'adjointe du procureur du gouvernement et elle était mariée à un homme qu'elle aimait et respectait; elle avait deux jeunes garçons. Sa vie avait fonctionné comme un mécanisme aux rouages bien huilés, chaque minute étant planifiée, jusqu'à ce qu'elle tombe malade et se voie forcée de garder le lit pendant deux mois. «Ma plus grande crainte est de mourir avant d'avoir réalisé l'essence de ma vie et accompli ce qui compte le plus, m'avoua-t-elle. Le problème c'est que j'allais tellement vite et faisais tellement de choses que je n'ai jamais eu le temps de comprendre ce que c'était.

«J'ai toujours été une bonne fille et fait tout ce que j'étais censée faire, mais je ne suis pas aussi satisfaite que je devrais l'être. J'adore mon mari et mes enfants — vraiment — mais je me sens vidée.»

Les milliers de lettres que m'expédiaient mes lectrices chaque année reprenaient les mêmes thèmes. «Qu'est-ce qui vient ensuite? demandaient-elles. Nous avons fait ce que vous nous avez conseillé, nous avons mangé quand nous avions faim, cessé quand nous étions rassasiées. Nous avons maigri, mais nos amies au régime nous battent froid quand nous sommes minces. Nous avons obtenu des promotions au travail, mais il nous manque encore quelque chose. En outre, la maternité ne comble pas le vide que nous ressentons dans la poitrine. Puisque nous ne voulons plus nous tourner vers la nourriture, vers quoi nous tournerons-nous? Comment chasser ce sentiment de vide?»

Une femme m'écrivit: «J'ai l'impression d'avoir passé ma vie en prison et tenté de meubler ma cellule avec des fauteuils de chintz rembourrés. Il ne m'est jamais venu à l'esprit que je pourrais m'affranchir des règles étroites et restrictives que j'ai établies pour moi-même ou trouver le sens de ma vie ailleurs que dans ma silhouette ou ma réussite professionnelle. La triste vérité, c'est que j'ignore où chercher.»

Je l'ignorais aussi.

La faim de vivre est l'histoire d'amies et de femmes avec qui j'ai travaillé tandis qu'elles remettaient en question la signification du succès, de la minceur, de l'amitié et de la satisfaction.

C'est aussi l'histoire personnelle de ma lutte contre la souffrance physique et émotionnelle, et de mes tentatives pour mieux comprendre mes croyances à l'égard des rêves d'enfant, du sentiment de privation, de la beauté, de la sécurité et de la joie.

Pourquoi, me suis-je demandé, est-il embarrassant d'être riche? Pourquoi la plupart des femmes ont-elles l'impression qu'elles perdront des amies en même temps que des kilos? Pourquoi pensons-nous qu'il faut avoir un corps menu pour vivre sur un grand pied? Qu'y a-t-il d'agréable à être mal dans sa peau? Où trouver la satisfaction si elle n'est pas là où nous croyions la trouver?

Si nous étions honnêtes avec nous-mêmes, nous avouerions pour la plupart que notre vie nous déçoit même si nous avons réalisé (quelques-uns de) nos rêves. Pour citer mon amie Natalie, nous pensions faire de notre mieux, toucher la ligne d'arrivée et remporter «une grande victoire». Nos efforts étaient censés nous apporter un bonheur durable et ce bonheur durable, nous étions censées le trouver auprès de nos meilleures amies et de notre partenaire amoureux, dans le travail, une silhouette mince, le succès et les enfants.

Non que ces choses ne soient pas satisfaisantes, loin de là. Elles comportent leurs propres récompenses: légèreté, tendresse, assurance et lien. Mais elles ne parviennent pas à étouffer en nous la vague intuition qu'il existe quelque chose de plus, notre désir profond de trouver ce quelque chose. Et parce que nous croyons que nous ne sommes pas assez bonnes, nous sommes persuadées que, si nous possédions davantage ou étions différentes, nous trouverions enfin la satisfaction.

J'étais malade depuis trois ans et croyais dur comme fer que je me mourais d'une forme de cancer nouvelle et rare, quand mon médecin, une femme spécialisée dans les maladies organiques, me référa à une clairvoyante médicale, capable de diagnostiquer les troubles imperceptibles du système immunitaire. Elle m'expliqua que les spécialistes de la chirurgie du cerveau et les oncologues consultaient ces personnes et que la dame en question avait posé un diagnostic juste dans quatre-vingt-dix-huit pour cent des cas. Or, comme j'avais déjà consulté toute une brochette de médecins traditionnels qui s'étaient contentés de marmonner des diagnostics farfelus ou de secouer la tête devant ma faiblesse croissante, j'avais cessé de me méfier de toute suggestion en apparence bizarre.

En outre, je voulais savoir si ma mort était proche.

Je composai donc le numéro.

Les premiers mots que prononça la clairvoyante furent les suivants: «Vous êtes une maniaque du contrôle comme j'en ai rarement vu.»

Je faillis lui demander si elle ne commettait pas une erreur, si elle n'avait pas interverti le corps de ma mère et le mien, mais je me tins coite.

«Vous avez écrit un livre intitulé *Breaking Free,* poursuivit-elle, mais vous n'êtes pas le moins du monde libre...»

Je n'arrivais pas à décider si elle me haïssait à mort ou était extrêmement honnête. J'aurais voulu me défendre, dire quelque chose de brillant ou d'hostile tel que «Garce!» mais comme la honte plutôt que la colère constitue toujours ma première réaction quand on m'attaque (ou qu'on me dit la vérité), je demeurai muette comme une pierre.

«La plupart des gens meublent le présent en évoquant le passé, reprit-elle, mais vous passez tout votre temps à essayer de contrôler le futur.»

À ce moment-là, je fixais désespérément le tapis dans l'espoir de me dissoudre dans sa bordure fleurie rouge cerise. Je résolus de ne plus jamais adresser la parole à mon médecin.

«Supposez que vous ayez cent dollars à dépenser, reprit la voyante. La plupart des gens les dépenseraient à penser à ce que leurs parents leur ont fait et à ce qu'ils regrettent ou détestent. Vous dépensez les vôtres à fantasmer sur ce qui vous rendrait heureuse puis à essayer d'orchestrer les événements pour qu'ils s'accordent avec vos fantasmes. Vous ne dépensez jamais votre argent pour le présent.»

Elle finit par me dire que je n'avais pas le cancer, encore que mon système immunitaire fût «complètement à plat», et que mon plus gros problème résidait dans le fait que je m'étais épuisée à essayer d'avoir une vie parfaite. Elle me conseilla d'apprendre à «faire confiance et à lâcher prise». (Je pensai: je *déteste* qu'on me dise ça. Faire confiance à quoi? Lâcher quoi?) Elle conclut la conversation en disant: «Ce n'est pas parce que vous ne souffrez pas d'un cancer aujourd'hui que vous n'attraperez jamais cette maladie. J'ai vu des gens développer une tumeur maligne en quarante-huit heures.»

«Comme c'est rassurant», articulai-je, et nous raccrochâmes.

J'avais voulu des réponses. J'avais voulu que l'on me dise ce qui clochait chez moi et comment y remédier. Au lieu de cela, cette femme avait employé des images vulgaires et m'avait laissée plus confuse qu'avant notre entretien. Bien que le déni et la répression ne soient pas mon fort, je tentai d'effacer cette conversation de mon esprit. Jusqu'à ce que je me rendisse compte qu'elle avait raison. Je passais ma vie à essayer d'être quelqu'un d'autre et même quand j'étais devenue la personne que je croyais devoir être, j'avais poursuivi mes efforts.

Mes trois premiers livres, *Feeding the Hungry Heart, Breaking Free* et *Why Weight?*, étaient axés sur les aspects descriptifs et normatifs de la compulsion à manger: la nourriture en tant que moyen d'exprimer des besoins tacites, l'inefficacité des régimes alimentaires et la reconnaissance des signes physiques de la faim et de la satiété. *Lorsque manger remplace aimer* décrivait l'effet de nos premières relations tant sur notre alimentation que sur nos relations intimes. *La faim de vivre* va un peu plus loin: il ne concerne pas la nourriture, le poids ou la compulsion comme tels. Il traite de la véritable satisfaction, thème qui se situe au cœur de l'obsession de la minceur.

Les femmes veulent être minces parce qu'elles voient la minceur comme un moyen de parvenir à une fin. Nous croyons que la sveltesse est la condition préalable à la réalisation de chacun de nos rêves et qu'une fois notre corps réduit à de justes proportions, nos autres rêves tomberont en place comme des dominos, et nous trouverons enfin le bonheur et l'amour de soi. Cela est un mensonge, mais un mensonge sur lequel la plupart des femmes bâtissent leur vie.

Si elle a de la chance et est honnête, une femme découvrira que la minceur a uniquement à voir avec la taille physique et qu'elle ignore tout de ce qui pourrait lui procurer une véritable satisfaction. Dès qu'elle comprendra que celle-ci n'a rien à voir avec le poids, la réussite, ni même les relations aimantes, dès qu'elle ralentira suffisamment pour cesser de se défendre contre son sentiment de vide, elle découvrira ce qui la satisfait vraiment.

J'ai écrit *La faim de vivre* au cours d'une période de ma vie particulièrement difficile, une période où, bien que certains de mes rêves d'enfant fussent en train de se réaliser, j'étais en train de perdre aussi tout ce que j'avais cru indispensable dans la vie: ma santé, mes cheveux, ma meilleure amie. Ces dernières années, la vie s'est chargée de réduire à néant chacune de mes croyances sur la véritable satisfaction, mais à un moment donné, entre mon mariage et mon accession à la minceur, entre la perte de mes cheveux et le décès de ma meilleure amie, j'ai cessé de croire que la réponse résidait dans quoi que ce soit que je puisse toucher ou accomplir. J'ai cessé de me défendre contre la vérité, de souhaiter que les choses soient différentes, et j'ai commencé à m'accepter moi-même et à accepter ma vie telle qu'elle était. Ce que j'ai découvert, en partie, c'est que je pouvais être heureuse — même chauve ou plus malade que jamais — tout en continuant d'enfoncer le clou avec ma haine de moi et mes idées de ce qui est censé être. Tout en étant persuadée que l'on pouvait connaître la joie et la satisfaction de façon directe et régulière, je croyais ces sentiments réservés aux personnes très saintes, très sages ou très pures — ce que je n'étais pas.

J'avais tort. *La faim de vivre* traite de pertes, de rêves d'enfant et d'images de soi restrictives. Il aborde aussi l'expérience directe de la félicité, du bien-être et du contentement. Les leçons exprimées ici ne s'apprennent pas en un jour, mais quand on sait ce qui est possible, on ne peut pas revenir en arrière et feindre l'ignorance.

J'ai écrit *La faim de vivre* parce que je travaille avec des gens qui m'écrivent des milliers de lettres par année et qui espèrent, s'ils font suffisamment d'efforts, que leur vie concordera avec leur idéal. Comme moi, ils croient savoir ce qui devrait se passer mais la réalité est toujours différente. Eux aussi en ont assez de se battre, mais ils ne savent pas quoi faire d'autre.

La faim de vivre remet en question nos croyances de toute une vie sur la beauté, le succès, l'amitié et le désir du cœur. C'est l'histoire de ce qui se passe quand nous cessons de vouloir que des gens, des événements ou des objets comblent nos besoins les plus profonds.

Somme toute, c'est un livre qui parle de faire confiance et de lâcher prise. La confiance que l'on peut trouver la véritable satisfaction et renoncer à ses vieilles croyances assez longtemps pour découvrir son essence.

Tout ce que nous croyons possible l'est. C'est juste que cela ne ressemble pas à ce que nous imaginions et ne se trouve pas là où nous croyions le trouver. Mais cela existe, j'en suis certaine.

CHAPITRE PREMIER

L'AMPLEUR DE MON CORPS, L'ENVERGURE DE MA VIE

J'ai encore rêvé à la nourriture. La nuit dernière, il s'agissait d'un pain aux raisins à la croûte épaisse. J'en faisais griller une tranche jusqu'à ce qu'elle prenne une belle couleur dorée, puis l'enduisais de beurre de pommes. En rêve, je prenais le pain, le portais lentement à ma bouche et me rappelais, dès la première bouchée, que je n'étais pas censée manger du pain. Ni des raisins secs. Ni du beurre de pommes. Je suis au régime.

Cela fait dix-sept ans que je n'ai pas rêvé à la nourriture. J'avais alors vingt-sept ans et étais membre des Weight Watchers. À cette époque-là, je rêvais de glace Häagen-Dazs au café et à la vanille garnie de sauce chaude au chocolat, sans noix. Mes rêves étaient remplis d'énormes morceaux de gâteau au fromage, de montagnes de biscuits et de plaques de chocolat mi-amer. Mais je vécus ma pire période il y a dix-huit ans: pendant un an et demi, j'étais anorexique et rêvais à la nourriture toutes les nuits. Les rêves commencèrent alors que j'avais entrepris un jeûne de dix jours à l'eau. Nous étions à la fin d'octobre et mon copain Louis et moi habitions un chalet au bord d'un lac dans les Adirondacks. Chaque soir, nous nous endormions auprès du feu et des carpettes pleines de nœuds qui tapissaient le mur, et je rêvais des festins qui avaient marqué mes années de collège à La Nouvelle-Orléans: huîtres frites de chez Casamento, gâteau au citron de chez Gambino, mille-feuilles de l'hôtel Quatre-Saisons. Le même rêve revenait nuit après nuit: j'étais entourée de nourriture, mordant à belles dents dans une épaisse tranche de pâté aux huîtres frites tartiné sur du pain maison et accompagnée de cornichons, de raifort et de ketchup, et soudain mon cœur se mettait à battre violemment et je me rappelais que j'étais censée jeûner. Je m'arrachais au sommeil pour m'assurer que je n'avais pas vraiment mangé et n'avais fait que rêver. Réconfortée par mon abstinence, je me rendormais pour rêver à d'autres nourritures, d'autres festins — et m'éveillais de nouveau dès la première bouchée avalée. Quand je ne jeûnais pas, je suivais un régime tellement strict — totalisant cent cinquante calories par jour en fruits et légumes crus, sans protéines ni graisses — que je m'accordais quelques douceurs en rêve seulement.

À l'âge de vingt-huit ans, je brûlai mes livres de régime dans ma baignoire pour affirmer symboliquement à moi-même, à ma mère et au monde entier que je ne suivrais plus jamais de régime. Que je ne me priverais plus jamais des aliments que j'adorais, des aliments qui me faisaient tant envie, des aliments que je ne me permettais jamais de manger sauf durant mes crises de boulimie. Après avoir, pendant quelques mois, mangé de la glace tous les jours, de la pizza quatre fois par semaine, et des croissants et des biscuits aux brisures de chocolat comme remontants, je finis par comprendre quelque chose. Je cessai de bâfrer parce que je cessai de suivre un régime. Je compris qu'en vertu de la quatrième loi de l'univers, à chaque régime correspond une crise de boulimie égale et opposée, et que si je me permettais de manger de la glace les rares fois où j'en avais vraiment envie, je n'aurais pas besoin d'en manger tous les jours en cachette et d'avoir honte.

C'était il y a seize ans; je pesais alors vingt-sept kilos de plus qu'aujourd'hui. Depuis lors, j'ai écrit quatre livres et animé des centaines d'ateliers sur la façon d'atteindre son poids naturel sans suivre de régime.

Récemment, au cours d'une émission de télévision diffusée à l'échelle nationale, je parlais de l'importance de s'autoriser à manger ce que l'on veut. Une femme assise dans la première rangée se mit à pousser sa voisine du coude et à rouler les yeux. Je perdis le fil de ma pensée, et l'émission fut interrompue par une publicité de poudre-repas diététique.

Je savais ce que cette femme pensait. Elle pensait que si elle se lâchait dans sa cuisine, elle s'autodétruirait. Elle songeait que sa faim était si profonde et si incontrôlable qu'elle-même était capable de dévorer l'univers tout entier.

Après la pause publicitaire, j'expliquai que, quand je conseille aux femmes de manger ce dont elles ont envie, elles éprouvent toujours ou un soulagement profond ou un sentiment de panique. Je racontai l'histoire d'une femme qui avait acheté douze sacs de croustilles en sortant d'un de mes ateliers. Ayant aspiré six d'entre eux en trois minutes, elle se rendit compte qu'elles avaient un goût affreux et qu'elle s'était gavée de croustilles pendant vingt ans parce que sa mère lui avait interdit d'en manger quand elle avait douze ans. «Manger ce que vous voulez, assurai-je, vous permettra de découvrir ce que vous *ne* voulez *pas* manger.»

La femme de la première rangée ne ronchonna pas et je considérai cela comme une victoire.

Je sais que c'est difficile à comprendre. La terreur ou la colère qui envahit les femmes quand je leur dis qu'elles peuvent manger ce qu'elles veulent n'a rien à voir avec la nourriture. Elle est reliée à la nécessité de cesser le combat que nous livrons chaque jour contre nous-mêmes parce que nous sommes persuadées que nos sentiments, nos désirs, notre apparence, ce que nous sommes, nos besoins devraient être différents. Les femmes qui souffrent de troubles alimentaires poursuivent la guerre à travers leur poids, les aliments qu'elles choisissent de manger ou de ne pas manger tel ou tel jour, les trois tailles de vêtements qu'elles gardent dans leur armoire, le rituel matinal de la pesée. Elles sont furieuses contre elles-mêmes parce qu'elles s'identifient à leur poids et que celui-ci n'est jamais le bon.

C'est la rage qui perpétue la souffrance, et non les aliments, l'acte de manger ou le poids. On ne peut pas mettre un terme à la haine de soi en se détestant encore plus. On ne peut pas apprendre à se faire confiance en ayant peur de soi-même. On ne peut pas mettre fin à la haine de soi qu'entraîne l'obésité en la remplaçant par l'acte de haine de soi que constitue le fait de suivre un régime ou de se priver de nourriture. On ne peut faire cesser une guerre en la remplaçant par une autre guerre. Manger ce que l'on veut est un acte radical et subversif parce qu'il met fin à la guerre.

Je n'avais pas réfléchi à tout cela lorsque je brûlai mes livres de régime dans la baignoire. Je voulais seulement cesser de perdre et de reprendre cinq kilos toutes les deux ou trois semaines. Je voulais cesser de manger du gâteau congelé debout près du réfrigérateur. Cesser d'avoir envie de couper des tranches de mes bras et de mes jambes. C'est pour cette raison que je jurai de ne plus jamais suivre de régime.

Et j'ai tenu parole... jusqu'à maintenant.

Mon sentiment de privation est aussi intense aujourd'hui que lorsque je rêvais de pâtés d'huîtres frites. Je ne peux pas manger mes aliments préférés: des bananes dans mes céréales du matin, du sirop d'érable sur mes crêpes, des biscuits au citron et aux amandes pour couronner chaque repas. Et je ne peux pas manger de chocolat. *Le chocolat.* (La première fois que j'ai mangé des truffes au champagne et au chocolat mi-amer, j'ai décidé que le chocolat avait le goût de l'extase incarnée. Le chocolat, ce sont les étoiles filantes, les lunes et les galaxies, la promesse de tout ce que l'on a toujours voulu, l'attrait d'une infinie possibilité.) Le chocolat a fait partie de mon programme quotidien de soins pendant dix ans au même titre que la soie dentaire et le bain. J'ai exploré les subtilités du chocolat belge, allemand, suisse, français et sud-américain. J'ai essayé le chocolat sucré au malt, au jus de fruit, non sucré et biologique. Le simple fait d'en croquer une bouchée ou deux à la fin d'un repas me donnait le temps de me pâmer, de me rappeler que l'extase était possible.

Il y a quelques années cependant, je commençai à ressentir une fatigue constante, à me sentir fragile et faible. Le mois dernier, je passai une semaine au lit avec la grippe, me portai comme un charme pendant une semaine puis dus m'aliter de nouveau après avoir contracté un autre virus. Telle une poupée de porcelaine brisée dont on recolle les morceaux et qui se brise de nouveau, on dirait que je suis incapable de mettre des forces ou de l'énergie en réserve avant d'être terrassée de nouveau par la maladie.

Au début, je crus que la tournée publicitaire de *Lorsque manger remplace aimer* m'avait simplement fatiguée et je décidai de prendre un long congé. Mais lorsque je contractai une bronchite deux semaines après avoir séjourné dans une île du Nord-Ouest du Pacifique, je dus me rendre à l'évidence: je souffrais de troubles physiques réels.

Je décidai que j'étais atteinte d'un «cancer itinérant» qui me vouait sans doute à une mort certaine. Après une horrible quinte de toux, je soupçonnai un cancer des poumons. Un mal de tête qui dura deux semaines me convainquit de la présence d'une tumeur cérébrale. Ayant découvert une bosse sur mon sein, je fus persuadée d'avoir un cancer. Mes amies avaient beau m'assurer que je ne souffrais d'aucune maladie fatale, je n'étais pas rassurée. «Je suis certaine que les amies de Gilda Radner* lui ont dit la même chose, objectais-je, et son cancer s'est d'abord manifesté par des accès de grippe et un sentiment de faiblesse.» Je craignais que la cause de ma mauvaise santé ne soit momentanément en veilleuse, serpent endormi lové au milieu des cellules de mon corps, prêt à me voler ma vie.

Quand je revenais à la raison, je me disais que mes incessants déplacements m'avaient vidée et que mes quatre tournées de promotion ainsi que les vingt ateliers que j'animais chaque année dans vingt villes différentes avaient fini par avoir raison de ma santé. Je pensais que la foudre ne frappe jamais deux fois à la même place et que, la première femme de Matt étant morte d'un cancer des ovaires, il était impossible que Dieu ou un

---

* Vedette de la télévision américaine morte du cancer. *(N.d.T.)*

Univers juste laisse sa seconde femme mourir de la même maladie. Je me rappelais l'intuition que j'avais eue à l'âge de vingt-trois ans: au beau milieu d'une conversation avec une amie au sujet de sa chatte angora, j'avais acquis la brusque certitude que je vivrais jusqu'à l'âge de quatre-vingt-sept ans.

À trente-neuf ans toutefois, je me sentais vieille et aussi frêle qu'une feuille de papier de riz déchirée. Sortir du lit chaque matin m'apparaissait comme une corvée; monter un escalier me demandait un effort surhumain et me rendre au cinéma ou au magasin était plus que je ne pouvais envisager. À certains moments, j'étais persuadée que j'avais la berlue et qu'il suffisait que je me visualise en santé pour l'être. Je me demandai quels avantages je tirais de ma maladie, ce que la maladie me permettait de faire que je n'osais pas faire quand j'étais en santé. J'obtenais toujours les mêmes réponses: repose-toi, reste à la maison; tiens-toi tranquille, reste calme, retire-toi. Aussi résolus-je *à la fois* de rester à la maison et d'être en santé. J'annulai quelques engagements, déclinai des invitations et m'imaginai baignant dans une lumière dorée, grimpant l'escalier avec des bonds de gazelle.

Trois années passèrent. Les virus, l'état subfébrile et la diarrhée chronique s'aggravèrent. Je consultai dix-sept médecins, guérisseurs, voyants, homéopathes, chiropracteurs et acupuncteurs. Je me soumis à des analyses sanguines, à des lavements barytés, à des radiographies, à des examens de la vue, des oreilles, des poumons. On diagnostiqua diverses maladies allant du syndrome de fatigue chronique aux parasites; de l'anémie au syndrome du côlon irritable en passant par l'hypothyroïdie. J'étais en proie à des sentiments divers: à certains moments, je désespérais de jamais recouvrer la santé, à d'autres, je me torturais en me demandant si, ayant moi-même créé ma maladie, je pouvais me redonner moi-même la santé; parfois, je perdais tout espoir de jamais trouver la cause de mes troubles physiques.

Une amie atteinte de lupus me parla d'un médecin qui traitait les personnes présentant une fragilité du système immunitaire. M'ayant longuement interrogée sur ma diète et mon état de santé, celui-ci diagnostique la présence du *Candida albicans,* un champignon unicellulaire normalement présent dans le système digestif et inoffensif chez les personnes dotées d'un système immunitaire solide.

Je connaissais la candidose depuis qu'une nutritionniste m'avait décrit cette maladie des années auparavant. Elle en attribuait la cause à un abus d'antibiotiques pendant l'enfance, à l'excès de sucreries, à l'inhalation d'un trop grand nombre de produits chimiques ou à la consommation abusive d'aliments transformés. Les symptômes, selon elle, se manifestaient sous forme de fatigue, d'indigestion, de virus récurrents et d'allergies, et le remède consistait à suivre une diète frugale exempte de sucre. Je répondis que quiconque vivait au vingtième siècle pouvait souffrir de candidose, que cette maladie ressemblait à une invention du Nouvel Âge et qu'une diète sans sucre et, par conséquent, sans chocolat ne pouvait être bénéfique pour l'âme.

Depuis ma rencontre avec cette nutritionniste, j'ai connu beaucoup de femmes atteintes de candidose qui ont suivi la diète prescrite. (Toutes, je suis peinée de l'avouer, habitent la Californie.) Certaines ont affirmé que la diète les avait aidées; toutes sans exception se sont ruées, dès la fin de leur diète, sur la boulangerie, la pâtisserie ou la pizzeria la plus proche.

La simple évocation du mot *candidose* me faisait frissonner. Je songeai que cette maladie devait avoir été créée par un sadique, un criminel endurci incapable de ressentir du plaisir ou de la douceur à moins de les voler aux autres.

«Et si je prenais un médicament?» demandai-je au docteur, qui me proposait une diète sans levure, sans sucre, sans produits laitiers, sans fruits ni aliments fermentés tels que la moutarde, le vinaigre ou le miso. Assise dans son bureau, je contemple une affiche représentant un champ de tournesols dans le sud de la France en songeant aux tablettes de chocolat noir renfermant soixante-trois pour cent de cacao que je dégustais chaque jour à Paris avec du pain, des fruits, du fromage. J'étais heureuse alors, et en santé.

Le médecin ne tient pas compte de ma question. «Il existe une foule de délicieux aliments hormis les sucreries, les produits laitiers, les fruits et le pain», répond-il.

Je commence à penser que le remède est pire que la maladie et que rester au lit avec la diarrhée et une faible fièvre pour le restant de ma vie est un moindre prix à payer pour pouvoir manger du chocolat ma vie durant. Je me rends compte que je n'ai pas les idées claires, que je suis accablée à l'idée de me priver de mes aliments favoris. Je compte sûrement encore sur la nourriture pour combler les fissures, autrement une vie sans sucreries ne me paraîtrait pas aussi affreuse. Je le dévisage. La voix adulte fait bientôt place à celle d'un enfant de trois ans qui pique une colère. J'ai envie de dire: «Savez-vous qui je suis? J'ai écrit quatre livres dans lesquels je condamne les régimes; *il n'est pas question* que je suive une diète. Ma vie tout entière repose sur le fait que je peux manger ce qui me fait envie. J'ai bâti ma réputation sur cela.»

Le médecin me dresse une liste de mets non sucrés et savoureux: «Des asperges à la vapeur avec du citron», dit-il. «Du maïs en épi en été, une courge Butternut avec de la muscade et de la cannelle en hiver. Une tasse fumante de thé au jasmin.»

«Mais pas de scones avec le thé.»

Il remonte ses lunettes cerclées d'acier sur son nez, repousse une mèche de cheveux blonds qui lui tombe dans l'œil et me jette un regard qui signifie: «Vous avez épuisé votre part d'apitoiement sur vous-même.» «Cette diète n'est réjouissante pour personne, Geneen, mais vous verrez, elle vous aidera à vous sentir mieux et vous finirez par l'accepter.»

Comme nous sommes une semaine avant l'Action de Grâces, je décide de commencer ma diète le lundi suivant, un truc que j'ai appris les toutes premières fois où j'ai suivi un régime: décide à quel moment tu commenceras ta diète, puis gave-toi jusque-là. Tu dois être si malade, si ballonnée, si complètement dégoûtée de toi-même au moment où tu commenceras ton régime que tu *paieras* quelqu'un pour sortir la nourriture de la maison tellement tu seras convaincue que tu n'avaleras plus jamais rien.

Aussitôt sortie du cabinet du médecin, j'enfourne une poignée de pralines qu'une amie a oubliées dans ma voiture l'année précédente. Je n'aime pas le chocolat au lait — les pralines ont un goût de cire et elles me restent dans la gorge — mais je continue de les ouvrir, de tendre le bras au-dessus du siège du passager jusqu'à la boîte à gants pour en prendre encore une. Lorsqu'une femme au volant d'une Toyota rouge klaxonne parce que je suis passée à quelques centimètres de sa voiture pendant mes manœuvres, je décide que j'en ai fini avec le chocolat pour l'instant. L'image d'une pizza garnie de fromage ricotta, d'épinards et de champignons surgit dans mon esprit. Je n'ai pas mangé de pizza depuis quelques années — le fromage me donne mal à la tête et me bouche le nez — mais puisque je n'aurai pas le droit d'en manger, j'en veux une maintenant, ce soir au dîner et demain au petit déjeuner. Je suis une femme investie d'une mission, une femme en proie à une crise de boulimie.

Ayant englouti deux énormes parts de pizza la veille, je m'éveille malade, de mauvaise humeur et distraite, et reste dans cet état pendant trois jours. Je souffre d'une bonne diarrhée et passe le reste de la journée à endurer un mal de tête dont aucun cachet d'ibuprofène ne vient à bout. Je me dis que je vieillis. Avant, je pouvais suivre ce régime pendant deux, trois semaines. Je prends la diète que m'a conseillée le docteur. Des céréales, des légumes, des légumineuses, du pain sans levure, des beurres de noix. Je décide de m'y mettre sur-le-champ.

Les premiers jours se déroulent sans heurts. Puis je me mets de nouveau à rêver à la nourriture: brioches à la cannelle, gâteau au fromage, dessert au caramel. Quand je prends un suppositoire pour les hémorroïdes qu'a provoquées la diarrhée, je le regarde avec envie, souhaitant que ce soit du chocolat blanc. Je vois Matt croquer une pomme, et le bruit qu'il fait en mangeant me met hors de moi.

— Ta mère ne t'a-t-elle jamais montré à mâcher la bouche fermée?

Il soupire, prend un verre d'eau, et je remarque, pour la millionième fois, que, quand il tient un verre, il lève le petit doigt.

— Pauvre chérie, dit-il, tu ne peux pas manger tes biscuits.

— Peux même pas manger une pomme, réponds-je d'un ton boudeur.

J'éprouve une pitié incommensurable, disproportionnée pour moi-même. Je fais tout ce que je peux pour me convaincre que la candidose n'existe pas. Tout en avalant à contrecœur mon riz sans sauce soya, mes céréales sans sirop d'érable, je m'entretiens avec des spécialistes des maladies organiques, des experts en médecine familiale qui me confirment qu'une maladie causée par les levures est sûrement une invention du Nouvel Âge. Tout le monde a des levures, reconnaissent-ils, allez-y, mangez du chocolat. Je parle à mon amie Sara qui déclare que la diète contre la candidose ne l'a pas aidée du tout. Anna abonde dans le même sens.

Matt observe, m'écoute râler.

— Je ne comprends pas, dit-il. Je croyais que tu trouvais cela logique. Tu es malade depuis si longtemps. As-tu oublié les lavements barytés, les analyses sanguines, les sigmoïdoscopies, les écouvillons rectaux...

— Arrête. Il est inutile que tu reparles de cela. Je n'ai oublié aucun de ces tests. Encore moins les lavements barytés.

— Les autres médecins n'ont rien trouvé hormis le fait que tu es épuisée et as besoin de repos. Pourquoi ne pas essayer quelque chose qui pourrait marcher?

— Parce que j'ai un problème avec la nourriture. Enlève-moi tout, mais laisse-moi la nourriture, surtout le chocolat et les biscuits.

— Oui, mais ne crois-tu pas que c'est justement *parce que* tu as un problème de ce côté-là que tu en baves autant? Peut-être est-il temps que tu retournes en thérapie...

Au lieu de cela, je prends rendez-vous avec une voyante nutritionniste, une femme dont j'ai entendu parler il y a environ quinze ans et que j'ai toujours voulu consulter. Theresa habite

San Diego et vient dans la région de San Francisco deux fois par an pour voir des clients. Quand je frappe à la porte de sa suite, à l'hôtel Durant, je suis accueillie par une flamboyante chevelure, un double menton et un boubou aux couleurs voyantes.

— Bienvenue chez moi, me dit-elle avec un accent britannique. Asseyez-vous, je vous prie, et expliquez-moi la raison de votre visite.

Tout en me parlant, elle coche des légumes, des viandes et des céréales sur une longue liste. Elle met sa main sur la mienne tandis que son autre bras dessine des cercles au-dessus de sa tête. Je me demande si elle a une crampe au bras, s'il a besoin d'exercice. (Par la suite, mon amie Diane m'explique que la voyante utilise son bras droit comme un pendule. Si, ayant touché ma main, son bras ébauche des cercles vers la droite quand elle lit le mot asperge, cela indique que les asperges sont bonnes pour moi. Si son bras esquisse des cercles vers la gauche, mieux vaut éliminer les asperges de ma diète.)

— J'espère que vous n'êtes pas végétarienne, annonce Theresa pendant que son bras décrit de grands cercles vers la gauche.

— Je suis végétarienne depuis dix-sept ans, réponds-je, les yeux fixés sur son bras.

— Ma poupée, reprend-elle en se penchant vers moi, son autre bras posé sur le mien, pas étonnant que vous soyez en aussi piteux état. Vous manquez de protéines. Votre corps désire toutes sortes de viandes et de poissons. Le porc, les œufs même seraient bénéfiques pour vous. Vous pourriez manger cent grammes de bœuf au déjeuner et cent au dîner.

— Que pensez-vous du lien entre un taux élevé de gras et le cancer du sein? Et toutes les recherches qui indiquent qu'une diète riche en graisses est mauvaise pour les artères, le taux de cholestérol, la longévité?

— Pfft! fait-elle. Les humains mangent de la viande depuis des siècles et le cancer existe seulement depuis quelques décennies. Ce sont les produits chimiques, l'environnement, les polluants qui causent le cancer, pas les vaches. Vous, ma chère, avez sérieusement besoin de viande.

Au bout d'une heure, je me retrouve en possession d'une longue feuille de papier contenant une très courte liste des aliments qui me sont permis: des protéines animales, du brocoli, des cardes, du chou d'hiver, des flocons d'avoine, du seigle, du riz et de la compote de pommes. Voilà. Si un aliment ne figure pas sur la liste, je dois m'en passer.

Je décide aussitôt que cette femme est folle, qu'ayant été végétarienne durant dix-sept ans, je n'ai toujours pas envie de manger des animaux morts. Je prends donc rendez-vous avec un autre immunologiste. Après avoir prélevé douze fioles de sang dans mon bras, analysé ma salive, mes poils pubiens et mes excréments, il confirme le diagnostic de son homologue: je suis bien atteinte de candidose. En outre, je suis allergique au bœuf, au poulet, aux flocons d'avoine, au seigle, au chocolat et à vingt autres aliments; mes glandes surrénales ne fonctionnent pas et je suis fortement allergique aux moisissures. Il me prescrit cinquante suppléments alimentaires différents, trois injections par semaine d'un complexe vitaminique B et une diète contre la candidose qui supprime tous les aliments auxquels je suis allergique ainsi que les aliments fermentés ou contenant des levures.

Cette fois, je suis vraiment désespérée et prête à faire n'importe quoi pour me sentir mieux. Je plonge dans la diète contre la candidose avec une ferveur maniaque, religieuse, puis me mets à bâfrer le cinquième jour. Je ne me gave pas de mes aliments habituels comme de gros morceaux de chocolat, d'épaisses tranches de pain aux raisins. Non. Je me bourre d'aliments qui goûtent comme de l'air entre deux morceaux de carton: galettes de riz, bagels au blé kamut (ne me demandez pas ce que c'est), grains de riz soufflé arrosés de lait de riz. Je mange sans avoir faim, continue de manger, même une fois rassasiée. Me rends malade avec un estomac ballonné, avec une plénitude vide, parce que, peu importe le nombre de bols que j'ingurgite, il n'est pas dans la nature des grains de riz soufflés (sauf si on y ajoute du beurre, du sucre et des guimauves avant de les faire cuire une demi-heure) d'entraîner une satisfaction.

Je suis désolée aujourd'hui d'avoir répondu aussi banalement à toutes ces femmes qui s'exclamaient, dans mes ateliers: «Mais comment puis-je faire cela quand ma diète est aussi limitée, quand je dois suivre un régime réduit en cholestérol, quand je souffre d'hypertension artérielle, de diabète, quand je suis allergique à tout ce que contient l'univers? Comment puis-je manger ce que je veux sans me sentir privée alors que justement, je ne peux pas manger ce que je veux et me sens privée?»

«Il existe deux sortes de sentiment de privation, leur répondais-je. Le sentiment d'être privé des aliments dont on a envie et le sentiment d'être privé de son bien-être. Si vous mangez ce que vous voulez et en éprouvez un malaise, vous vous privez d'une bonne santé. Vous pouvez choisir ce dont vous voulez vous priver: de certains aliments ou de votre bien-être.»

Puis, après une pause et avec beaucoup de compassion, j'ajoutais: «L'important, c'est de vous rendre compte que vous avez le choix. Vous n'êtes pas une victime.»

Aujourd'hui, je dis: «Victime, foutaises. Les gens qui mangent du chocolat et du pain aux raisins peuvent se permettre de compatir et de prendre des airs supérieurs.»

Ce n'est pas que je ne crois pas ce que j'ai préconisé pendant toutes ces années. J'y crois. Je crois que je peux pleurnicher et crier, être malheureuse et m'apitoyer sur moi-même. Je crois que je peux me comporter comme une femme de quarante-deux ans et non pas comme une enfant de trois ans, cesser de me concentrer sur ce que je n'ai pas et chercher plutôt à améliorer ma santé. C'est mon choix. C'est juste que, tant que je me lamente et avale six bols de grains de riz soufflés par jour, je n'ai pas, après m'être convaincue moi-même et avoir persuadé mon entourage que j'entretiens une relation normale et saine avec la nourriture et avec mon corps, à me demander pourquoi je suis anéantie par l'interdiction de manger du chocolat.

Je sais que je ne suis pas la seule dans mon cas. J'observe l'excitation, l'étincelle qui brille dans les yeux des gens au moment où l'on apporte le dessert. Le soulagement, puis l'extase qui suit la première bouchée sucrée. Roucouler au-dessus d'un dessert, c'est comme avoir un orgasme légal et public.

Mon amie Josie raconte que, durant les trois mois où elle a suivi la diète contre la candidose, c'était «pire que de ne jamais faire l'amour. Cela ôte tout le plaisir sensuel de la nourriture — la vie est trop courte pour manger comme cela pendant trop longtemps.»

Mon chiropracteur dit qu'il importe du chocolat mi-amer en gros de la France et qu'en manger chaque jour est «l'une de [ses] plus grandes joies dans la vie. Jamais je ne me soumettrai à un test d'allergies, ajoute-t-il, jamais en cent ans.»

Marissa, mon professeur de danse, affirme qu'elle a pris cinq kilos en quatre mois en suivant une diète contre la candidose parce qu'elle se sentait tellement privée qu'elle n'arrêtait pas de manger. «Le beurre d'amandes était mon péché mignon, dit-elle. J'en bouffais trois pots par semaine.»

Anna, la réceptionniste de mon ophtalmologiste, explique: «Si on élimine les sucreries de sa vie, il ne reste plus grand-chose d'excitant. Je sais que cela paraît absurde — j'adore ma vie, mon travail, mes enfants, mon mari. Mais manger... c'est une tout autre histoire.»

Ma collègue Lizzie: «Pour ma part, je tiens à mes deux verres de vin au dîner et à ma sucrerie quotidienne. Toute la journée, j'attends avec impatience le moment où je pourrai siroter mon vin et me relaxer en passant ma journée en revue. J'ignore ce que je ferais si je devais cesser de boire et pourtant, je sais que je devrai m'y résoudre un jour parce que je suis trop dépendante de l'alcool et cela me dérange.»

Même Dean Ornish, le créateur de la diète à très faible teneur en matières grasses, affirme qu'il serait malheureux dans un monde sans chocolat.

Je me console en pensant que les autres sont aussi attachés que moi à leurs petites douceurs. Chacun semble posséder sa propre source de plaisir, un aliment ou une boisson sur lequel il compte pour passer à travers sa journée. Je ne crois pas que ces petites consolations soient mauvaises ni qu'il faille y renoncer.

Je ne crois pas qu'il faille se priver pour le simple plaisir de le faire ou pour prouver quelque chose. Nos petites consolations sont une source de joie, et tout ce qui peut nous procurer du plaisir et de la joie est important.

Certes, ce ne sont pas la joie ni le plaisir qui posent un problème, mais plutôt notre attachement, notre identification avec la source de joie ou de plaisir.

Ma cousine Judith avait l'habitude de passer dix minutes chaque matin à préparer son thé matinal: des feuilles de thé Earl Grey qu'elle laissait infuser pendant quatre minutes. Pendant que la boisson infusait, elle prenait sa tasse favorite, y versait deux cuillers à thé de sucre et un quart de tasse de lait chaud. Pas bouilli mais suffisamment chaud pour que des bulles commencent à se former sur les rebords. Il fallait verser d'abord le sucre, puis le lait, à défaut de quoi le mélange était gâché. Un jour, son médecin lui annonça que la caféine était responsable des kystes qui s'étaient développés sur ses seins et que le lait aggravait son arthrite. Ayant envisagé diverses solutions de rechange, Judith décida qu'elle préférait avoir des kystes et souffrir d'arthrite que de se passer de thé le matin.

Nous créons des rituels, dépendons de substances qui non seulement nous apportent du plaisir mais nous procurent un sentiment de sécurité. Puis nous avons l'impression de ne plus pouvoir nous en passer. Il s'agit d'un phénomène progressif. Ce qui nous donne du plaisir finit par nous empêcher de ressentir un plaisir plus grand (par exemple, le plaisir d'être en santé). Nous adoptons une manière rigide de manger, de regarder ou d'entrer en rapport avec les autres, et nous persuadons que certaines choses (être mince, ne pas suivre de diète, être écrivain, mère, avocate ou célibataire) nous sont indispensables. Nous nous identifions à une image ou à la possession de certaines choses et sommes convaincues qu'y renoncer entraînerait la perte de notre identité.

Il n'y a pas longtemps, j'écoutais une cassette enregistrée par une femme médecin. Celle-ci affirmait qu'il n'est pas rare que les patients atteints de cancer qui ont le choix entre renoncer à fumer ou mourir optent pour la cigarette. Et même s'il est vrai que la nicotine entraîne une dépendance, il est aussi vrai qu'il est terrifiant de se passer de protection, même dans sa propre maison. De ne pas se définir en fonction de son apparence, de son alimentation, de ses activités, des actions de ses enfants. Et pourtant, lorsque nous avons la conviction de devoir posséder ou être telle ou telle chose, ou ressembler à telle ou telle image, nous nous fermons à la possibilité de changer. Nous présumons que la personne que nous sommes aujourd'hui sera la même demain et que nos besoins de l'année dernière demeurent les mêmes aujourd'hui. Nous croyons que renoncer à ce qui nous était nécessaire l'année dernière nous fera perdre tout ce qui pourrait nous rendre heureuses demain.

Que se passe-t-il quand on est forcé de renoncer à une chose à laquelle on n'a jamais pensé pouvoir renoncer?

D.T. Suzuki, le maître qui a initié l'Amérique au zen, dit: «Dans l'esprit du débutant, il existe de nombreuses possibilités; dans l'esprit de l'expert, il n'en existe que quelques-unes.»

Quand on a la tête farcie de connaissances, il est difficile d'y faire entrer du nouveau.

♥

Trois semaines ont passé. Je continue de laisser des miettes de riz dans chaque pièce et passe mon temps à me pencher pour ramasser des grains de riz soufflés écrasés en me rendant à la salle de bain, au salon, à mon bureau. Mais quelque chose a changé. Le goût du sucré ne me manque pas. C'est *l'idée* du sucré qui me manque. La semaine dernière, Matt et moi sommes allés au drugstore acheter de la soie dentaire parfumée à la cannelle; les bonbons de la Saint-Valentin étaient en solde. Quatre étagères regorgeant de boîtes de carton rouges, roses et dorées en forme de cœur, festonnées de rubans, de boucles et de fleurs en plastique. Au moment où nous dépassions la dernière boîte, j'éprouvai une brusque envie de me cacher derrière les bas jusqu'à la fermeture du magasin, puis de déchirer les boîtes, de m'asseoir au milieu de l'allée et de manger tous les chocolats fourrés à la crème vert pâle, une boîte moche après l'autre. Au petit matin, ma peau serait aussi verte que l'intérieur des chocolats, je serais hébétée et je roterais, échouée dans l'allée comme un bébé baleine, mais j'aurais la chance de me trouver dans une pharmacie et le pharmacien saurait quoi faire.

Nous nous mîmes en file à la caisse, derrière une petite fille de six ou sept ans dont la chevelure raide et blonde était retenue par un bandeau rayé rouge et blanc. Elle tirait sur la robe de sa mère, qui feignait de l'ignorer tout en essayant de payer la nourriture pour chat et le papier de toilette qu'elle avait achetés. Maman, suppliait la fillette, pourrais-je avoir juste un petit cœur en chocolat? Juste ce petit cœur-ci? Elle pointait du doigt l'étalage qui se trouvait derrière nous et je me retournai pour voir quels chocolats lui avaient tapé dans l'œil. C'était une boîte de bonbons rouge enveloppée de papier cellophane. Mauvais choix, pensai-je. Sans doute des caramels et des centres liquides. Pour ma part, j'opterais pour la boîte dorée qui se trouve derrière. Si j'en crois mon expérience, les boîtes dorées renferment habituellement des rondelles de chocolat pleines enveloppées de papier coloré.

Exaspérée, la mère répondit: «Je te l'ai dit cent fois. Le docteur dit que tu ne dois pas manger de chocolat après le dîner. Tiens, je vais t'acheter du chewing-gum.» Elle prit un paquet de Trident bleu, parfum original.

La fillette regarda le chewing-gum puis de nouveau les cœurs en chocolat. Elle savait bien que remplacer le chocolat par du chewing-gum était au mieux un pis-aller, au pire un stratagème utilisé par sa mère, mais elle accepta quand même. Un goût sucré, aussi artificiel soit-il, vaut mieux que pas de sucre du tout.

Nous payâmes nos achats et sortîmes du magasin.

— Au moins, la soie dentaire est sucrée, dis-je à Matt tandis que nous nous dirigions vers notre voiture.

— Oh! chérie! s'exclama Matt en insérant la clé dans la serrure de la portière, tu as une attaque sérieuse.

— Oui, murmurai-je tout en me tournant vers le magasin pour capter du regard un coin de boîte en forme de cœur, la lueur d'une fleur en plastique. Je ne peux pas le nier.

Cela me manque de ne pas être libre de choisir ce que je veux manger et, en conséquence, je m'empiffre parce que je suis censée suivre une diète. Puisque les beurres de noix me sont permis, je plonge dans des pots de beurres de noix d'acajou, de sésame, d'amandes, de noix macadamia, de pistaches et de pacanes quelques fois par jour. Une pleine cuillerée à soupe après l'autre. Parfois, je prends le temps de l'étendre sur des craquelins de riz, mais la plupart du temps, parce que leur emballage est difficile à ouvrir et que les craquelins sont friables, je saute l'étape intermédiaire et le porte directement à ma bouche. Et à l'instar de quiconque mangerait un demi-pot de beurre de noix par jour, je grossis. Mes cuisses commencent à frotter l'une contre l'autre comme autrefois, mes pantalons sont de plus en plus serrés et mon ventre est apparent.

Malgré tout cela, je me sens mieux. Quand je m'éveille le matin, j'ai envie de sortir du lit. Une fois levée, j'ai assez d'énergie pour monter l'escalier. Après avoir médité et pris mon petit déjeuner, j'ai envie d'écrire, de bavarder avec des amies, de faire une promenade au lieu de me glisser de nouveau sous les couvertures. Le soleil brille de nouveau dans mon corps. C'est comme si j'avais un fond, que je me remplissais au lieu de passer mon temps à me vider.

On pourrait croire — car cela paraît évident — que le fait d'aller mieux soulagerait mon sentiment de privation, m'inciterait à suivre gaiement ma diète, à baiser le sol avec gratitude. Faux. Je suis enchantée d'avoir la chance de me sentir bien de nouveau. Mais ce n'est pas comme vivre une expérience au seuil de la mort et ne plus jamais, à son retour sur terre, tenir pour acquise la couleur bleue. C'est un processus subtil, lent — il y a encore bien des moments où je me sens éreintée et fragile — et j'avais un problème avec la nourriture. J'ai un problème avec la nourriture. J'aurai toujours un problème avec la nourriture (ou du moins, ce sera l'un de mes problèmes. Les problèmes sont une chose à propos de laquelle je me sens abondante.)

J'essaie de me montrer raisonnable. De ne pas m'affoler à la vue de mon double menton. Je me dis que cette diète n'est pas éternelle et que le médecin m'a assuré que dans quelques mois, je pourrais manger d'autres aliments, bien que, a-t-il précisé en remarquant la lueur d'espoir dans mes yeux, le chocolat ne fasse pas partie de ceux-là. Les jours où l'autosuggestion est efficace, je suis rassurée, je me sens adulte. J'arrive même à attendre d'avoir faim avant de manger trois autres bols de grains de riz soufflés, de glycérine végétale et de poudre de caroube non sucrée. Mais il se produit toujours quelque chose: on m'annonce une bonne ou une mauvaise nouvelle, Matt éternue, les enfants se disputent au sujet de leur émission favorite, et avant de pouvoir dire «sésame», voilà que j'engouffre le tahini à la cuiller. Après coup, j'ai peur de prendre vingt kilos, je crains que tout ce que je me suis acharnée à devenir ne soit qu'une comédie car, après une pause de seize années, je suis de nouveau au régime, je me gave et recommence à grossir.

J'aimerais qu'il en soit autrement. Je voudrais pouvoir me comporter comme une adulte et non pas comme une enfant de trois ans quand on m'interdit de manger du chocolat parce que cela me rend malade. Je voudrais que le bien-être que je ressens soit une récompense suffisante. Je voudrais pouvoir suivre ma diète sans m'empiffrer, mais par-dessus tout, je voudrais ne pas prendre autant à cœur le fait que je grossis. Je croyais avoir réglé cela une fois pour toutes.

Au début, quand j'ai renoncé à suivre un régime, j'étais terrifiée à la perspective de grossir au point d'être plus ronde que je l'avais jamais été ou imaginé. Je ne savais pas du tout si, en m'autorisant à manger ce que je voulais, j'enfournerais deux litres de glace à la vanille et aux tourbillons de caramel, trois parts de gâteau au chocolat et tout un pain aux raisins enduit de beurre chaque jour pendant cinquante ans; et comme j'impute, depuis l'âge de quatre ans, le moindre amour perdu, le moindre désagrément, la plus petite déception ou frustration à mon poids, l'idée de prendre de l'embonpoint provoquait en moi une franche panique, une panique primale. Mon cœur se mettait à battre follement, je me mettais à transpirer et à bafouiller des mots sans suite. J'avais l'impression d'être sur le point de me jeter du haut d'une falaise, d'atterrir dans un pays étranger où je devrais tout recommencer à zéro avec un nouveau langage, de nouvelles relations, de nouvelles définitions de l'amour et de la beauté. Mais j'étais prête à le faire. J'étais disposée à être rondelette pour le restant de mes jours pourvu que je cesse de me mépriser. Pourvu que je cesse de me sentir comme un animal sauvage affolé, prêt à dévorer le contenu du réfrigérateur quand personne ne regardait. J'étais prête à tout. Même à être grosse.

Je ne fus jamais forcée de mettre mes convictions à l'épreuve, du moins pas vraiment. Car même si j'avais vingt-deux kilos en trop quand je mis fin aux régimes et pris cinq kilos par la suite, je me mis à perdre du poids moins de six mois après et continuai d'amincir au fil des ans.

Et au fond, je ne crois pas vraiment que je risque de prendre quarante-cinq kilos parce que je mange du beurre de noix à la cuiller. Je doute de jamais devenir obèse. Pas plus que je ne crois qu'il m'est possible, étant donné que la nature m'a dotée d'un corps rond, de demeurer aussi mince que je l'ai été pendant dix ans. Or cette pensée me jette dans les mêmes paroxysmes de terreur qui me faisaient bredouiller et battre le cœur il y a quelques années.

Car ne pas être mince, c'est comme être grosse. Mon amie Natalie me confia un jour qu'elle était déçue par la vie. «Non pas que je ne connaisse pas de nombreux moments de félicité, reconnut-elle. C'est seulement que je m'attendais à ce qu'il y ait une grande victoire et qu'il n'y en a pas. La vie ne fait que continuer.»

Dans mon cas, être mince, c'était ça la grande victoire. Ce n'était pas comme écrire des livres, animer des ateliers, épouser l'homme que j'aime. Ni comme marcher dans une forêt de séquoias vieux de mille ans, regarder le soleil s'abîmer dans l'océan, nager avec les dauphins. Toutes ces activités entrent dans une catégorie et être mince, dans une autre. Être mince est une catégorie en soi.

J'ai deux personnalités. L'une d'elles, celle que je montre aux autres, se passionne pour ses amis, sa famille, son travail. L'autre personnalité, celle dont je ne parle jamais, n'a qu'une seule passion: être et rester mince.

L'année dernière, mon amie Marina, qui, forcée de prendre des corticostéroïdes pour combattre la maladie de Crohn, avait grossi de quinze kilos, me confia qu'elle donnerait son petit doigt pour retrouver sa taille mince.

— Écoute-toi, lui dis-je. On croirait entendre une folle, une femme pour qui seule sa silhouette compte.

— Je voudrais bien te voir prendre quinze kilos après avoir été mince. Nous verrions ce que tu es prête à faire pour retrouver ta taille de guêpe.

Nous étions assises dans le salon d'une amie au moment de cette conversation. La table qui se trouvait derrière Marina était couverte de photos de famille dans des cadres d'argent: photo d'une fillette vêtue d'une longue robe de velours cramoisi, sa tête ornée d'une couronne de fleurs; photo de noces sur laquelle la mariée porte une longue robe blanche aux paillettes étincelantes. Je me souviens que, lorsque Marina a prononcé les mots «taille de guêpe», je regardais ces paillettes et que, malgré le ton de la conversation, une bouffée de plaisir a envahi ma poitrine. La justification, la validation, la victoire d'être enfin perçue comme une femme mince. («La minceur est tellement temporaire», observe mon amie Diane. Celle-ci, qui pèse aujourd'hui quarante-trois kilos, avait été une enfant maigre, mais il y a vingt ans, elle a connu une période de sept ans au cours de laquelle elle a pris vingt kilos et lutté pour s'en débarrasser. Aujourd'hui, même si son poids est stable depuis des années, elle a l'impression que sa minceur est temporaire et qu'elle pourrait à tout moment reprendre de l'embonpoint.)

Mon père dévorait sans jamais grossir des tas de biscuits aux figues en un seul repas. Mon frère buvait des litres de lait au chocolat pour accompagner les friandises et les beignets dont il se gavait et il restait mince comme un fil. Ma mère, sa mère avant elle, et moi, sa digne héritière, peinions comme des

tortues de mer sous le fardeau de notre «problème de poids».
Nous regardions les garçons avaler leurs friandises riches en
calories tout en nous entourant de bâtonnets de carottes, de craquelins et de sodas acaloriques à la caféine. Dans la cuisine, les
jours de fête, ma mère, ma grand-mère, ma cousine et moi sem-
blions dévorer les pâtisseries, les galettes de pomme de terre,
les boulettes de maïs, les macarons que nous n'aurions pas osé
manger ouvertement devant le reste de la famille. Nous n'étions
pas réunies pour manger; l'une après l'autre, nous piquions une
galette de pomme de terre à l'insu des autres, nous emparions
d'un biscuit tout en débarrassant la table. L'enfournions tout en
prétendant être occupées à autre chose. Volant des moments
pour manger une nourriture dérobée. Mais c'était la seule façon
d'obtenir ce que l'on offrait gratuitement aux garçons. Manger
un aliment engraissant devant un tiers — et surtout les unes
devant les autres —, c'était avouer que nous étions satisfaites de
notre silhouette, que nous avions l'audace de l'être même si
nous n'étions pas aussi minces que nous aurions pu l'être.
Devrions être. Avions besoin d'être.

J'ai gagné.

J'ai réalisé l'impossible à leurs yeux: je suis devenue mince.
Et j'y suis parvenue en mangeant ce qu'ils m'ont interdit de
manger: du chocolat.

♥

Nous sommes en décembre de l'année dernière et j'ai la
grippe. Je suis tellement malade que je ne peux pas lever la tête.
La fièvre continue de grimper: un jour, le thermomètre marque
38,8 degrés, le lendemain, 40. Matt me serre contre lui au milieu
de la nuit quand je m'éveille en grelottant et me raconte des histoires sur les habitants d'une étrange contrée, qui portent au
bout des doigts des coquilles de noix sur lesquelles ils écrivent
des livres entiers. Les coquilles renferment même de minuscules grille-pain, me chuchote-t-il à trois heures du matin, et les
gens distribuent du pain grillé pour célébrer la fin de la rédac-

tion d'un livre. Est-ce qu'ils étendent de la confiture de fraises sur le pain, demandé-je, et mon estomac se soulève à la simple évocation de la nourriture. Non, répond-il, seulement du beurre de noix et uniquement pour ceux qui n'ont pas la grippe. Il reprend, nuit après nuit, le fil de son histoire à travers mes tremblements et les draps trempés. Après dix jours pendant lesquels je n'ai avalé que du bouillon, mes os commencent à saillir de ma poitrine. Aussi malade que je sois, j'aime cette sensation de fragilité, cette impression d'être de plus en plus menue. Je réussis à me lever le cinquième jour pour enfiler un collant acheté il y a quelques années et qui était devenu trop serré. Maintenant, il pend lamentablement et je souris pour la première fois depuis des jours. Le matin, quand je rampe hors de mon lit pour aller aux cabinets, je mets la main sur mon ventre pour constater à quel point il est devenu plat, relève ma robe de nuit devant le miroir pour juger de ma minceur. Pour chaque côte que j'aperçois, un oiseau de plaisir s'envole de mon cœur.

Trois semaines plus tard, j'effectue ma visite annuelle chez le médecin. On me prie de me dévêtir et d'enfiler une robe de cotonnade bleue. Je monte sur le pèse-personne, qui indique quarante-cinq kilos. La dernière fois que j'ai été aussi mince, c'était pendant ma période anorexique et je pesais alors trente-sept kilos.

Le médecin entre. Elle vérifie mes réflexes, écoute mes poumons, effectue un test de Papanicolaou. Elle me prie de monter sur le pèse-personne.

— C'est fait, lui dis-je. Je pèse quarante-cinq kilos.

Elle fixe mes bras osseux, ma poitrine, mon visage émacié.

— Puis-je vous croire? demande-t-elle.

— Que voulez-vous dire?

— Certaines de mes patientes anorexiques mettent des cailloux dans leurs poches pour faire grimper leur poids.

— Pas de cailloux, réponds-je, avec un sourire incrédule. Je n'arrive pas à croire qu'elle me soupçonne de tricher sur mon poids. Je le faisais quand j'avais quinze ans (et plus récemment, sur le permis de conduire et les demandes d'assurance). Mais je sous-estimais toujours mon poids. Elle pense que je l'ai surestimé. Je dois avoir l'air vraiment mince. Un autre oiseau s'envole de mon cœur.

Nous sommes maintenant en mars et je grossis malgré la diète contre la candidose. Ce matin, j'ai essayé mon jean autrefois trop grand, et il me serre à la taille et aux cuisses. Je palpe mon ventre au réveil dans l'espoir de le trouver plat tout en sachant fort bien qu'il ne le sera pas puisque j'ai ingurgité cinq bols de grains de riz soufflés et la moitié d'un pot de beurre de noix d'acajou la veille.

La minceur était censée guérir comme par magie la blessure que je porte au plus profond de mon être, les dommages symbolisés par l'obésité. Et bien qu'elle n'ait pas produit les résultats escomptés, je crois encore en son pouvoir magique. De tous les réconforts de ma vie, être mince est le seul qui soit constant. Et même si je me sens aimée de toutes les personnes qui comptent à mes yeux, chaque fois que je prends une bouchée de beurre de noix d'acajou, mon affolement se change en une hystérie qui m'est familière. Chaque bouchée me rapproche davantage de la fillette grassouillette et maladroite à la chevelure raide que j'étais à huit ans et d'une mère qui refusait de rester à la maison.

Je sais ce que je dois faire et je refuse de le faire. Je dois accepter de grossir. Plus précisément, je dois accepter les kilos que je suis déjà en train de prendre. Six, dix kilos. Je n'en prendrai peut-être pas autant, mais je dois les accepter d'avance car seule une bonne volonté généreuse et sincère (l'*amour,* l'*amour)* peut dissoudre la peur coincée dans mes os comme un boulet. Je dois accepter d'être plus ronde même si toutes les fibres de mon être se révoltent à cette idée, et me rappeler (cette fois-ci, la prochaine fois, la fois d'après) que j'ai encore le droit et mérite encore de me respecter et même de m'aimer. Je n'ai pas besoin d'être petite pour être grande. Pas plus que je ne doive être grosse pour être grande. Il suffit que j'aie la taille que j'ai, quelle qu'elle soit à tel moment ou période de ma vie.

La question qui se pose est la suivante: comment savoir ce qu'est censé être mon poids? Est-ce celui que j'atteindrai après m'être bourrée de beurre de noix pendant six semaines? Ou celui que j'avais avant de manger le beurre de noix, le poids que j'ai conservé, à quelques kilos près, depuis dix ans?

Peut-être que je ne suis pas censée avoir un poids particulier. Peut-être que, ce qui compte, ce n'est pas la taille, ni le poids, mais la vie que je mène tout en cheminant sur la route du bonheur et de la satisfaction. Si, tout en m'empiffrant de beurre de noix et de riz sous toutes ses formes, je vis avec intégrité et passion, pourquoi être mince serait-il si important? Ne sont-ce pas les associations que je fais avec l'embonpoint plutôt que mon poids comme tel qui me font tant souffrir? N'est-ce pas mon lien avec le moment présent qui m'importe de toute façon? Vivre ma vie pleinement aujourd'hui, en ce moment même, au lieu d'attendre le moment futur magique où j'aurai rempli toutes les exigences et serai assez bonne pour être vivante? N'est-ce pas pour cette raison que je veux être mince, parce que je crois que minceur et valeur sont synonymes?

Ce n'est pas tant l'ampleur de mon corps qui me tient à cœur que l'envergure de ma vie. Mais les deux sont si inexorablement emmêlées, tels des écheveaux de laine noués en dix mille endroits, qu'il est presque impossible de les séparer, de comprendre vraiment que, peu importe ce que notre culture veut nous faire croire, elles sont distinctes.

La croyance sur laquelle s'agglutinent toutes les autres veut que l'ampleur de mon corps détermine celle de ma vie. Je nourris cette croyance depuis tant d'années qu'elle est le sol qui me porte. Je n'y pense pas, ne la remets jamais en question. Je marche, c'est tout. Mais si je me livre à l'action subversive qui consiste à démêler les fils de mon corps et de ma vie, je découvre les vérités crues de toute une vie:

Ma mère se serait sentie piégée et aurait été incapable d'un amour généreux que j'aie pesé trente-cinq ou soixante-dix kilos.

On m'a aimée tendrement et passionnément quand je pesais soixante-dix kilos. Mon poids n'a eu aucune influence sur la qualité de l'amour que j'ai reçu dans ma vie. Jamais.

Je me suis haïe quand je pesais cinquante kilos et aimée quand j'en pesais soixante-dix.

Être mince me donne ce qu'un poids peut me donner: un corps plus léger, une plus grande aisance dans mes mouvements, des vêtements plus petits, la reconnaissance culturelle, un point c'est tout.

Il est impossible d'intégrer ces vérités d'un seul coup. Ce sont des fils qui s'emmêleront encore et encore. Et à ma connaissance, la seule façon de vivre tout en sachant cela est de continuer d'affronter ma peur d'être grosse, d'exposer au grand jour mes croyances sur la minceur, d'accepter de prendre du poids. Et de recommencer autant de fois qu'il le faudra jusqu'à ce que je foule un sol différent ou me réincarne à Samoa (où une femme n'est jugée belle que si elle pèse au moins quatre-vingt-dix kilos).

Ce problème est insoluble. Comme tous les problèmes fondamentaux d'ailleurs. Vous pensez que vous avez tout réglé — votre poids est stable, vous mangez moins, la vie est belle — et soudain votre meilleur ami apprend qu'il est atteint du sida, votre maison s'effondre dans un tremblement de terre ou on vous interdit de manger de chocolat. Et tout recommence.

Depuis trente ans, le problème de la minceur réapparaît sans cesse dans ma vie, et chaque fois c'est la même chose tout en étant différent. Mon amie Molly, alcoolique en convalescence et ex-boulimique, affirme que, tel l'alcoolisme, la compulsion à manger est une maladie dont on ne guérit jamais tout à fait. Je ne suis pas d'accord avec elle. Même aujourd'hui, tandis que je me noie dans six sortes de beurre de noix, je ne crois pas que ce soit une maladie. Les maladies sont relatives. Une personne est malade par comparaison avec une personne qui ne l'est pas; la maladie ne peut exister sans la santé. Si la compulsion alimentaire est une maladie, alors tout le monde est malade. Notre culture tout entière est atteinte. Notre culture tout entière croit qu'une femme mince est digne de respect et qu'une femme replète est une ratée.

Lors d'un récent sondage publié dans un magazine, on a demandé à mille femmes si elles préféreraient être renversées par un camion ou prendre soixante-dix kilos. Cinquante-quatre virgule trois pour cent des femmes ont répondu qu'elles aimeraient mieux être renversées par un camion. Ce qui signifie qu'elles aimeraient mieux être paralysées pour le restant de leur vie que grossir. Elles préfèrent la mort cérébrale à l'embonpoint. Elles préfèrent perdre un bras, une jambe, un rein, un œil que d'engraisser. Cinquante-quatre virgule trois pour cent des femmes interrogées préfèrent risquer la mort plutôt que de grossir. Parce que leur poids détermine la qualité de leur vie, elles préféreraient être mortes plutôt que grosses.

Il n'y a pas de fin quand on désire ardemment être plus mince que l'on est. Si vous préférez être renversée par un camion plutôt que d'être grosse, il est essentiel que vous le disiez et le sachiez, car vous pouvez agir à partir de là. Vous pouvez ressentir la dépravation totale d'une culture qui attache plus de prix à la minceur qu'à la vie, et vous demander comment vous allez vivre avec ce préjugé, quelles mesures vous allez prendre. Vous pouvez travailler avec cette idée, en parler franchement. Dire à votre fille qu'elle est belle de toute façon.

Il n'y a pas de fin. Il n'y a pas de remède. Il y a seulement une relation et la volonté de vous y engager chaque fois qu'elle vous appelle. La volonté de regarder et de voir à quoi vous vous identifiez, où vous trouvez la sécurité. Êtes-vous votre corps? La minceur est-elle une question de vie ou de mort pour vous? Votre expérience du plaisir dépend-elle du fait de manger du chocolat? Parce que, si c'est le cas, votre identité et votre sentiment de sécurité sont aussi fragiles que l'étaient les miens.

Je croyais avoir réglé la question de l'alimentation. Ce qui était vrai, tant que j'étais en santé, pouvais manger ce que je voulais et peser ce que je pesais. Tant que je pouvais emporter des biscuits au citron et aux amandes, des muffins aux graines de pavot et du chocolat mi-amer dans l'avion, tant que j'étais aussi mince que je le désirais, j'étais en sécurité. Je savais qui j'étais.

Mais je ne peux pas manger de chocolat et je grossis, et je dois découvrir de nouveau ce qui est réel quand je ne me pare pas de mets délicieux, d'une silhouette mince et de l'armure protectrice d'une femme qui a réglé son problème de poids.

Comme je ne peux pas avoir le corps que je veux ni manger les aliments que je désire, la question de savoir qui je suis sans ces choses résonne dans mon cœur. De quoi ma vie dépend-elle? Qu'est-ce qui me pousse à me lever chaque matin?

Je croyais avoir trouvé les réponses à ces questions il y a des années. Mais j'en trouve sans cesse de nouvelles. Pendant de nombreuses années, mon désir de surmonter mon obsession alimentaire a gouverné ma vie. Aiguillonné mon travail. M'a conféré une identité. Tomber amoureuse fit entrer une nouvelle passion dans ma vie et modifia mon identité: désormais, j'étais la partenaire de quelqu'un, puis la femme de quelqu'un. Des couches de sécurité, le sentiment d'être Quelqu'un. Le fait que je grossis et suis prête à grossir encore plus me ramène à la case départ. Efface l'ardoise.

La nourriture et l'alimentation sont les problèmes de toute ma vie. Et elles ont été mes maîtresses toute ma vie. Parce qu'elles me causent une souffrance incommensurable, elles me donnent accès à une richesse incommensurable. Parce que je ne peux pas combler mon besoin de sucré en mangeant, ni attendre avec impatience le biscuit qui couronnera mon repas, je vis plus souvent dans le moment présent. Et je m'accorde des douceurs différentes: le jaune beurre des renoncules; la tourterelle qui s'ébroue dans la flaque d'eau de mon patio; les graines de citrouille grillées; l'odeur de mandarine de la peau de Matt; le ronronnement glouglouttant de Blanche.

Hier je me promenais dans une roseraie de Berkeley et, à la vue des fleurs épanouies qui étalaient sans crainte leur magnificence, de la brume qui roulait au-dessus du Golden Gate, de la lumière chatoyante de la baie, j'eus l'impression d'être suspendue entre mes croyances. Pendant quelques instants, ma capacité de voir, d'entendre, de respirer et de marcher, le fait que cette luxuriance, qu'une telle profusion de lumière et de beauté impudente puissent exister, m'apparurent comme un miracle. Debout près des roses Blue Nile, je regardai le soleil glisser derrière la baie.

Je me rendis ensuite à la pharmacie pour acheter une bouteille de peroxyde d'hydrogène (mon médecin soutient que je suis allergique aux moisissures et que le peroxyde tuera les touffes vertes qui croissent sur le rebord de ma fenêtre). En me rendant à l'allée 3B, je passai à côté d'une figurine aux oreilles pointues et aux yeux en forme de boutons de bonbon blanc et bleu. Son corps long et mince était, évidemment, en chocolat. Du chocolat au lait, pas du chocolat mi-amer. Vide, pas plein. À côté d'elle sur l'étagère, son homologue masculin, avec ses bretelles en chocolat, jouxtait un paquet de trente-six poussins en guimauve verte et rose fluorescente qui attendaient qu'on les découvre dans leur panier rempli d'herbe en cellophane et d'œufs peints. Toutefois, ce sont les boîtes de pralines qui retinrent mon attention. Des pralines au chocolat blanc. Je soupirai, salivai, puis me souvins de la roseraie.

Flanquée des figurines en chocolat, je me demandai si je renoncerais à une vie de chocolat pour une vie de moments comme ceux que j'avais vécus dans la roseraie.

La réponse vint aussitôt.

Oui, mais renoncerais-tu à une vie de minceur? me demandai-je.

Ces questions sont ridicules, me dis-je tout haut, en me retournant aussitôt pour voir si quelqu'un m'avait entendue. Elles me rappelaient le jour où mon amie Fleur m'avait téléphoné.

— Si tu avais le choix entre renoncer à l'eau chaude ou renoncer au sexe pour le restant de tes jours, que choisirais-tu?

— Est-ce qu'en renonçant à l'eau chaude, je devrais aussi renoncer au thé et aux bains tièdes? demandai-je.

— Pas de bouillotte, de bain, de thé, de sauna, répondit-elle. Rien qui ne dépende ni ne contienne de l'eau chaude.

— Cela me coûte de l'avouer, et Matt serait triste s'il l'apprenait, mais je renoncerais au sexe. J'aurais tellement froid la plupart du temps qu'il me serait impossible de me déshabiller.

— Moi aussi, reconnut mon amie. J'ai une autre question à te poser. Si tu avais le choix entre renoncer à l'eau chaude et renoncer à rire pour le reste de ta vie, que choisirais-tu?

— C'est ridicule, répondis-je. Je n'aurai jamais à faire ce choix.

— Réponds à ma question.

— Ma foi, commençai-je d'une voix traînante, l'eau chaude est bonne pour mon corps, mais je ne peux pas imaginer vivre sans rire, et ne le voudrais pas. Sans rire, je n'apprécierais même pas l'eau chaude.

Environnée de couleurs pastel et de chocolat au lait, je me rendis compte que les questions sur l'eau chaude et la minceur étaient les mêmes. Le premier choix accorde plus de valeur à mon corps qu'à toute autre chose; le second privilégie l'esprit qui l'anime.

Renoncerais-je à la minceur si j'avais la possibilité de ne pas revêtir d'armure protectrice, et de ne pas me séparer des roses, de la souffrance, de la passion, des autres? Étais-je prête à renoncer au confort de savoir qui je suis et de me conformer, et d'accepter de ne pas savoir qui je suis et de m'épanouir jour après jour?

La réponse vint en un éclair, et je dépassai d'un pas léger la soie dentaire et les suppositoires pour me diriger vers le peroxyde d'hydrogène.

CHAPITRE DEUX

LA SOIF D'ÊTRE ESTIMÉE À SA JUSTE VALEUR

Je n'ai révélé à personne que je voulais être célèbre avant d'avoir trente-neuf ans, ce qui veut dire que j'ai vécu avec ce secret pendant trente et un ans. Je me gardais bien d'en souffler mot quand on me demandait ce que je voulais devenir plus tard. Ce désir m'embarrassait, même à huit ans. J'étais gênée par son intensité, par le fait que j'osais embrasser des rêves aussi grandioses.

Mes amies semblaient caresser des rêves plus modestes (ou alors elles rêvaient de célébrité sans l'avouer). Elles voulaient devenir médecins, avocates, artistes ou femmes de médecin, d'avocat ou d'artiste. Pendant un court instant, j'envisageai de faire ma médecine, mais je voulais surtout jouir d'une éclatante renommée.

Matt fut la première personne à qui je l'avouai, mais la rédaction de mon quatrième livre était alors fort avancée et mon désir de gloire, déjà indissolublement lié à l'écriture.

En réalité, ce sont deux choses différentes. L'écriture n'a rien à voir avec mon désir d'être célèbre; c'est une façon de m'ancrer dans ma propre vie, de me relier à la vie d'autres personnes. Mais comme je ne suis pas douée pour le théâtre ni tournée comme un mannequin, et comme je n'ai aucune envie d'animer un talk-show ou de faire quoi que ce soit d'autre pour me rendre célèbre, je me suis servie de ce que j'avais pour arriver à mes fins.

Les écrivains deviennent célèbres quand, pour une raison ou une autre, leurs livres paraissent sur la liste des best-sellers du *New York Times*. Pour qu'un livre figure «sur la liste» et y reste, il doit s'en vendre autant d'exemplaires ou plus, pour une semaine donnée, que des autres ouvrages de la liste. Ce qui vous oblige à faire savoir au plus grand nombre de gens possible, et dans les plus brefs délais, que votre livre se trouve en librairie. Ce qui veut dire donner des entrevues à la télévision, à la radio et à la presse écrite au moins huit ou neuf fois par jour.

Outre la participation aux émissions diffusées à l'échelle nationale, la croyance veut que si vous travaillez d'arrache-pied, ne refusez aucune interview, passez la majeure partie de votre temps à parler de votre livre à la télévision, si vous visualisez votre succès et ne déclarez jamais forfait, votre livre a des chances de devenir un best-seller.

Mon ami Ken Blanchard, coauteur du *Manager minute,* un ouvrage qui a figuré pendant deux ans sur la liste du *New York Times,* m'a guidée sur le chemin de la renommée littéraire. «Découpe la liste du *Times,* m'a-t-il conseillé, et colle-la dans un endroit bien en vue. Imagine que ton livre passe de la dixième à la troisième, puis à la première place. Téléphone tous les jours à des gens capables de t'aider. Parle de ton livre aux détaillants, aux grossistes, aux distributeurs; parles-en au personnel de vente de ta compagnie. Tu dois vouloir réussir de tout ton cœur.»

Avant que son premier livre *How To Make Love All the Time* (Comment faire l'amour tout le temps) devienne un succès de librairie, Barbara De Angelis m'envoya une carte postale dans laquelle elle expliquait qu'elle rêvait d'accéder à la liste du *New York Times* et demandait à tous ses amis, associés et admirateurs d'acheter son livre la journée même. Elle espérait que l'énorme volume de vente ainsi créé instantanément propulserait son livre sur la liste. En lisant sa carte, j'ai été frappée par son honnêteté et son culot; elle se montrait si vulnérable. J'ai toujours pensé que si on ne souffle pas mot de ce que l'on veut, on évite d'éprouver de l'embarras advenant le cas où on ne l'obtiendrait pas.

♥

Au camp d'été où je fus envoyée à l'âge de treize ans, je m'amourachai d'un garçon. Un jour qu'il était debout sur un gros rocher blanc (baptisé «le rocher aux souhaits») et que je me promenais dans le pré au-dessous, il me fit signe de le suivre sur le court de basket-ball. Je l'aurais suivi jusqu'au bout du monde, mais comme je ne voulais pas qu'il le sache, je croisai les bras, lui décochai un sourire aguichant et ne bronchai pas. Il haussa les épaules: «Ne viens pas dire que je ne t'ai pas donné ta chance», dit-il. Le lendemain, il se mit à sortir avec ma meilleure amie, qui porta son bracelet d'identification en argent tout l'été.

On peut interpréter cette histoire de multiples façons. En voici une: Dieu merci, j'ai découvert à quel point ce garçon était con avant qu'il soit trop tard. Et une autre: Si votre meilleure amie se met à sortir avec le garçon qui fait battre votre cœur, elle n'est vraiment pas votre meilleure amie. Et encore une autre: *Carpe diem*; si vous ne prenez pas ce que vous voulez, quelqu'un d'autre le prendra. Faites comme le tigre et foncez.

Vingt-six ans plus tard, j'ai foncé. Je me suis consacrée tout entière à la tâche de devenir célèbre grâce à la publication de *Lorsque manger remplace aimer*. J'ai organisé une tournée publicitaire qui m'a conduite dans trente villes et animé vingt ateliers dans des villes différentes. J'ai accepté toutes les interviews, les séances d'autographes, les apparitions à la télé et à la radio, même si cela m'obligeait à sillonner le pays plusieurs fois par semaine. J'ai découpé la liste des best-sellers, j'ai visualisé mon succès, répété des affirmations.

♥

Nous sommes lundi de la semaine dernière. Matt et moi faisons l'épicerie. J'ai l'air comme d'habitude, c'est-à-dire coiffée à la diable, vêtue d'un pantalon de survêtement fluorescent, d'un pull assez grand pour trois personnes et d'une casquette de base-ball. Pendant que je choisis un melon, la femme du comptoir déli s'adresse à Matt.

— Êtes-vous Matt? demande-t-elle.

— En personne.

— Je sais tout de vous...

Je saisis des bribes de conversation tout en pressant le centre d'un troisième melon. Quelqu'un a reconnu Matt, me dis-je. Quelqu'un qui a assisté à l'une de ses conférences. C'est bien. Cela lui plaît. Quand il revient, je lui demande si cette femme a entendu une de ses conférences.

— Non, répond-il, elle a lu tous tes bouquins. Elle a reconnu ton visage et s'est dit que je devais être le gars dont tu parles dans tes livres. Elle adore ton travail. Elle prétend que tes livres ont transformé sa vie.

Une onde de plaisir et de peur secoue ma colonne vertébrale. Du plaisir parce que mes livres touchent vraiment les gens. Des gens comme la femme du comptoir déli de mon épicerie sont prêts (pas parce qu'ils sont mes amis et y sont forcés) à les lire et à se laisser toucher par eux. Cela me cause une joie extraordinaire.

De la peur parce que, brusquement, je ne suis plus une personne anonyme qui tâte les melons. La femme du comptoir déli se fait une idée de moi, de la femme qu'elle veut que je sois, en fonction de ce qu'elle a lu dans mes livres, et je ne peux absolument pas concorder avec cette image. Pas avec mes cheveux sales, ma mauvaise humeur et les poils de chat blancs qui couvrent mes vêtements. Pas avec les sentiments que j'éprouve aujourd'hui: incertitude, dépression et tristesse générale. Aujourd'hui, je me dis que je devais être droguée quand j'ai décidé d'écrire un autre livre. Aujourd'hui, j'ai fignolé un paragraphe pendant sept heures avant de le jeter au panier. Aujourd'hui, je me suis querellée avec Matt, j'ai raté mon rendez-vous avec mon comptable, oublié l'anniversaire de ma mère. Aujourd'hui, je ne peux me rappeler rien de bon, de gentil ou de correct à propos de moi-même. Je ne peux certainement pas me sentir concernée ni m'identifier à la rédaction d'un livre qui a vraiment plu à quelqu'un.

La femme se dirige vers moi, le visage fendu d'un large sourire. Je songe à lui dire que Matt blaguait, que je n'ai pas écrit de livre et qu'il y a erreur sur la personne. Je décide promptement que ce serait violer le quatrième précepte que j'ai appris de Thich Nhat Hanh*, celui qui invite à ne pas mentir, et je me retiens.

— Je ne veux pas vous importuner, dit-elle. Je sais que vous êtes venue ici pour faire vos achats, mais je tiens à vous dire à quel point vos livres sont importants pour moi.

Je lui offre mon meilleur sourire et me demande si j'ai encore un morceau des cardes du dîner collé sur ma dent d'en avant. Je constate que je ne saisis rien des propos de mon interlocutrice. Je suis trop occupée à ériger un mur entre elle et moi, à me dire qu'elle veut une chose que je ne peux pas lui donner, qu'elle pense que suis meilleure que je crois l'être.

— ... donc, votre livre ne quitte pas ma table de chevet et je le lis quand j'ai besoin de me rappeler que je suis parfaite telle que je suis. Merci.

Elle prend ma main, la serre doucement et retourne au comptoir déli.

Je fixe le dessin compliqué de la dentelle de sa jupe pendant qu'elle s'éloigne. Elle ne voulait rien t'enlever, susurre une voix dans ma tête. Elle voulait te donner quelque chose et tu ne l'as pas saisi parce que tu avais trop peur qu'elle te vole ta tristesse.

Je pousse le chariot dans l'allée des aliments congelés, prends deux paquets de fraises et un sac de cerises dans le congélateur. Pourquoi voulais-je être célèbre? Quel effet ai-je cru que cela ferait d'être reconnue par une étrangère?

Je n'ai pas pensé. Il ne m'est jamais venu à l'esprit que l'on pourrait m'arrêter dans un magasin ou dans la rue pour me

---

* Moine bouddhiste vietnamien proposé par Martin Luther King pour le prix Nobel de la Paix en 1967. Il enseigne la méditation en Europe, en Asie et en Amérique du Nord, et est l'auteur de nombreux ouvrages sur la méditation. (N.d.T.)

parler. Je voulais que le monde entier connaisse mon visage et mon nom, mais je n'avais jamais vraiment songé à ce qui se passerait à l'épicerie. Je ne m'étais pas rendu compte que «le monde entier» se compose d'individus qui font leur épicerie et se rendent dans les aéroports. Je voulais être désirée par les gens que je connaissais et qui ne voulaient pas de moi, pas par des étrangers. Je n'ai jamais pensé qu'une inconnue pourrait me reconnaître (même si ma photo figure sur la jaquette de mes quatre livres). Ni qu'elle pourrait vouloir me parler quand je ressemble à un lit défait. Jamais l'idée ne m'a effleurée que mes lecteurs m'idéaliseraient tout comme j'idéalise moi-même certains écrivains.

Lors d'un atelier que je donnais récemment, trois ou quatre femmes déclarèrent qu'elles me prenaient pour une déesse. Je répondis: «Hé! les filles! C'est une grave méprise. Je sais l'effet que cela fait d'être dans mon corps, et, croyez-moi, la plupart du temps, vous ne voudriez pas y être.» Je leur donnai des exemples concrets: je m'étais conduite comme une enfant de trois ans avec Matt le matin même, j'avais été chiche avec une amie la semaine précédente. Elles haussèrent les épaules. «Et puis après, répliquèrent-elles, vous êtes quand même une déesse.»

Je leur parlai des femmes que j'avais rencontrées à une émission de télévision quelques jours auparavant, toutes des vedettes de la télévision, toutes atteintes de troubles alimentaires. L'une d'elles décrivait comment elle se privait de nourriture quatre jours par semaine pour avaler des dizaines de milliers de calories pendant les trois autres, après quoi elle vomissait tout. Entre ses crises de boulimie, elle recevait des injections d'hormones et posait pour la couverture de magazines pour adolescentes. Leur donnait des trucs pour maigrir. Une femme boulimique et rongée par la haine de soi, qui reçoit un traitement hormonal, prodigue des conseils alimentaires à des adolescentes!

Ouais, mais c'était une vedette de la télévision, objectèrent-elles. Vous ne bâfrez pas pour aller vomir ensuite. Vous ne prétendez pas être quelqu'un que vous n'êtes pas. Nous ne vous estimons pas moins parce que vous avouez avoir agi comme une enfant de trois ans. Au contraire, le fait que vous ayez le cran de l'avouer rehausse notre estime pour vous.

D'accord, dis-je, mais où cela s'arrête-t-il? Si je vois telle romancière comme une déesse et que vous me prenez pour une déesse, cela ne révèle-t-il pas simplement notre besoin de voir des déesses?

♥

Cette année, après la publication de *Lorsque manger remplace aimer,* Barbara Walters* interviewait Jim Carrey, la vedette du film *Le masque.* Le comédien confessa que dix ans auparavant, alors qu'il était encore inconnu à Hollywood, il avait libellé un chèque de dix mille dollars à son propre nom. Dans la zone pour mémoire du chèque, il avait inscrit «pour prestation de comédien». Il portait le chèque sur lui à titre de rappel de ses brillantes ambitions. Le soir, il parcourait en voiture Mulholland Drive, où habitaient les vedettes de cinéma, et s'imaginait vivant comme l'une d'elles. Il voyait en pensée la vie qu'il menait, les salles de bal qu'il fréquentait, son élégance, sa notoriété. Quand il était tout à fait convaincu qu'il était devenu riche et célèbre, il rentrait chez lui.

Bien sûr, si Barbara Walters l'interviewait, c'est qu'il venait de signer un contrat d'une valeur de dix millions de dollars pour une «prestation de comédien», et qu'il menait désormais la vie des habitants riches et célèbres de Mulholland Drive.

Tout en l'écoutant, je n'arrivais pas à décider s'il constituait un fabuleux exemple du pouvoir de l'affirmation et de la pensée positive, ou si les ambitieux qui l'écoutaient croiraient qu'eux aussi pouvaient devenir célèbres, se signer des chèques de plusieurs millions de dollars et passer leurs soirées à contempler des manoirs perchés en haut des collines.

---

* Commentatrice de la chaîne de télévision américaine ABC. *(N.d.T.)*

En l'écoutant, je fus tentée de tirer un chèque à mon nom, de gonfler la poitrine et de regagner le monde des aspirants à la célébrité parce que, bien que mon livre ait figuré sur la liste du *Times* pendant deux semaines, je n'ai jamais atteint la rutilante notoriété que je convoitais si ardemment. L'interview de Jim Carrey me rappelait l'écart qui existe entre ce qui est possible et ce qui est réel, et ravivait mes doutes. N'étais-je pas suffisamment douée en tant qu'écrivain? Mes efforts avaient-ils été insuffisants? Les efforts ont-ils quelque chose à voir avec la renommée ou celle-ci dépend-elle du sort, du destin, du karma, de la chance?

Puis il y avait la question de la célébrité comme telle. Pourquoi voulais-je être célèbre de toute façon? Pouvais-je enseigner, écrire et souhaiter que mon travail touche les gens sans vouloir être célèbre? Les bouddhistes croient que le désir est le fondement de toute souffrance; mon désir de renommée révèle tout bonnement que je suis tombée dans le panneau qui consiste à croire que les tentations de ce monde peuvent nous rendre heureux. Ou, pour paraphraser Annie Lamott*: «Si le monde pense que c'est génial, il y a sans doute de la cocaïne là-dessous.»

Avant la publication de mon livre, un ami bouddhiste m'appela et me dit: «Je souhaite que ton livre touche des millions de gens. J'espère qu'il apportera une aide formidable à ceux qui le liront. J'espère qu'il contribuera dans une grande mesure à faire cesser la souffrance. Et j'espère qu'en dépit de tout cela, tu ne deviendras jamais riche et célèbre car cela ne ferait qu'ajouter à tes souffrances.»

Je savais qu'il avait raison. Je savais que la célébrité n'était pas la solution. J'avais réfléchi à cela des centaines de fois. Mon rêve de gloire était mon rêve de minceur transposé dans le domaine littéraire. C'était le battement syncopé de «Quand je

---

* Auteur de *Bird by Bird: Instructions on Writing and Life, All New People, Hard Laughter. (N.d.T.)*

tomberai amoureuse et rencontrerai l'homme de mes rêves» mêlé aux airs de «Quand nous vivrons à la campagne» et de «Quand je posséderai la robe que j'ai vue aujourd'hui». Je sais que ces désirs en remplacent d'autres, plus évasifs, et que, aussi sérieux soient-ils, ils ne peuvent jamais combler le besoin qu'ils sont censés combler.

La conscience de cela ne m'a pas arrêtée cependant. Elle ne m'a pas empêchée de vouloir être mince, de croire que ma rencontre avec Matt était la prémisse d'un bonheur éternel, ni de me jeter dans la course à la notoriété. Mon désir remonte à si loin et a été méconnu pendant tant d'années qu'il est animé d'une vie propre. Il croit que je serai satisfaite si j'obtiens ce que je ne possède pas.

Le bonheur de figurer sur la liste du *Times* dura deux bonnes journées. Avant que vienne me hanter l'obsession d'y rester. Deux semaines plus tard, un atlas routier avait délogé *Lorsque manger remplace aimer* sur la liste, et j'étais dévastée.

Trente et un ans de désir effréné pour quarante-huit heures de bonheur.

Je ne suis pas une bonne bouddhiste, c'est évident. Il ne me suffit pas d'être familière avec l'avidité constante du mental. Il ne me suffit pas de savoir que la nature du mental est de vouloir tout ce qu'il n'a pas et que le mental de tout le monde agit comme cela. Il ne me suffit pas de savoir que la célébrité ne me rendra pas heureuse. Je veux être célèbre quand même.

Les femmes qui suivent mes ateliers se heurtent au même dilemme quand elles rêvent de devenir minces. Toutes savent — et la majorité en ont fait l'expérience — qu'être mince n'étanchera pas la soif de leur cœur et pourtant, elles continuent de le désirer follement année après année. Quand elles ne suivent pas de régime ou ne s'empiffrent pas, quand leur poids n'évolue pas en dents de scie, elles sont obsédées par l'idée de rester minces. Par les programmes d'exercice, les diètes pauvres en graisses ou la peur de ce qui arrivera si elles grossissent.

Nous nous heurtons toutes au même dilemme une fois le but atteint, le rêve réalisé, qu'il s'agisse d'une promotion, d'être amoureuses, de vivre à la campagne ou d'acheter la robe aperçue dans une vitrine. Chaque fois que nous posons un geste, caressons un rêve ou réalisons un projet censé corriger ce qui cloche en nous et que nous le faisons pour ce qu'il nous rapportera plutôt que pour le simple plaisir de la chose, nous sommes inévitablement déçues. Mais plutôt que de supporter cette souffrance, nous caressons un nouveau rêve: une voiture plus spacieuse, un corps plus svelte, un nouveau travail, une notoriété accrue.

♥

Le pain remplit quatre étagères, couvrant un mur tout entier à l'épicerie. D'infinies variétés de pains à hamburgers et à hot-dogs, douze sortes de pains complets. Je cherche le pain Tassajara à l'oignon et à l'aneth avec l'étiquette bleue, fouille parmi les pains au sésame et au millet, aux trois grains, les pains de maïs et les pains au levain. Pas de pain à l'oignon et à l'aneth. Je poursuis mes emplettes.

Je pensais que je voulais être assez célèbre pour que Barbara Walters veuille m'interviewer.

Je pensais que je voulais sidérer les gens et les impressionner. Je me trompais.

Je pensais que si suffisamment de gens voulaient être à ma place, je voudrais être moi-même. Je me trompais là-dessus aussi. Car quand une femme me regarde avec des étoiles dans les yeux comme si je possédais le remède à sa souffrance et étais meilleure qu'elle, j'ai envie de lui dire que je ne connais pas les réponses et qu'il y a un grand écart entre la personne qu'elle pense que je suis et celle que je sais que je suis.

Ce n'est pas la célébrité que je voulais. Je voulais me reposer, cesser de me pousser constamment pour être quelqu'un que je ne pensais pas être, pour obtenir quelque chose que je croyais ne pas posséder. Je pensais qu'être célèbre me donnerait cela. Je pensais que, quand on était célèbre, on était vu, désiré et aimé d'une façon gigantesque, indéniable et irrésistible.

Je me trouve nez à nez avec les beurres de noix. Le beurre d'arachide biologique est en solde à 2,89 $. Il y a vingt ans, quand j'habitais Buffalo, mon copain David avait coutume de confectionner des sandwiches au beurre d'arachide, à la mayonnaise et à la laitue. Nous étendions une nappe à carreaux rouges sur le canapé recouvert d'un tissu indien imprimé or et noir, disposions élégamment les sandwiches, les cocas et les biscuits, et demeurions affalés durant tout l'après-midi neigeux à nous nourrir mutuellement. Outre qu'elle lui procure un goût inhabituel, la mayonnaise empêche le beurre d'arachide de coller au palais et de rester coincé dans la gorge, ce qui fait que l'on peut bavarder tout en étant étendu. Sa tête posée sur mes genoux, David réfléchissait à la possibilité d'enseigner D.H. Lawrence à des étudiants et je rêvais de rencontrer Joni Mitchell, ma déesse du moment. Sans l'exprimer tout haut, je désirais avoir ce que j'imaginais qu'elle avait. Je voulais être désirée. Je voulais être vue.

Je le veux encore.

Le problème, c'est que si la célébrité pouvait me donner cela, je le posséderais déjà. Être vue à l'épicerie, même si ce n'est pas glissant sur un tapis rouge sous le crépitement des éclairs de flash, c'est quand même être vue. Je pourrais me dire que ce n'est pas satisfaisant parce que je ne suis pas assez célèbre (assez mince, assez belle, etc.). Je pourrais me libeller un chèque de dix millions de dollars et passer les cinq prochaines années à tenter d'accroître ma renommée. Je pourrais passer le reste de ma vie à faire des efforts ou je pourrais cesser d'en faire. Mais dès que je songe à cesser mes efforts, je me sens comme une poupée vidée de sa bourre.

Faire des efforts me donne de l'espoir. Des efforts pour être mince, des efforts pour être célèbre, des efforts pour changer. Tant que je fais des efforts, il est possible qu'un jour j'obtienne une bonne note, que je gagne enfin la course.

J'avoue ceci à mon professeur de méditation, Jeanne, qui me demande ce que je gagnerai quand j'aurai enfin gagné la course.

«Mon père pour toujours, dis-je, étonnée de ma propre réponse. Et puis je ne serai plus jamais seule.»

La renommée et le pouvoir étaient les dieux que vénérait mon père. C'était un homme silencieux à l'humeur changeante, qui travaillait de cinq heures du matin à onze heures du soir. Mais lorsqu'il parlait de célébrités, il s'animait. Il gesticulait, sa voix adoptait une intonation mélodieuse, il voulait que je sache que c'était important, qu'*elles* étaient importantes. Les rayons de notre bibliothèque étaient garnis de livres sur les Kennedy, les Rothschild, les Windsor. Et sur les vedettes de cinéma: Cary Grant, Frank Sinatra, Judy Garland. Un soir — j'avais alors douze ans — mon père fit jouer la bande sonore du *Magicien d'Oz* dans lequel Judy Garland chantait «Over the Rainbow»; puis, il fit jouer la même chanson exécutée par la comédienne trente ans plus tard au Palace de Londres. Tandis que nous étions pelotonnés l'un contre l'autre sur le canapé à motif cachemire blanc et noir, mon père parla de la maturation de la voix de Judy Garland d'un ton assourdi et respectueux. Je l'avais alors tout à moi — son attention, son amour, sa présence — et je ne voulais pas le perdre. «Encore, papa, dis-je. Fais-la jouer encore.»

Je ne me rappelle plus à quel moment j'ai décidé de devenir l'une de ces personnes dont il parlait d'une voix assourdie et respectueuse. Je ne me rappelle pas avoir décidé que si j'étais célèbre, je serais assurée de posséder son amour et son attention à jamais. Pas plus que je ne crois que mon désir d'être célèbre est uniquement relié à mon désir d'obtenir l'amour de mon père. Je crois cependant que j'ai hérité d'une image de moi-même — celle d'une personne incapable, grosse et stupide — et que j'ai utilisé mon désir d'être mince et célèbre comme un antidote à cette image. C'est l'image qui me fait souffrir, pas l'absence de célébrité. Tant que l'image restera la même, rien ne changera. Et lorsqu'elle changera, peu m'importera d'être célèbre ou non.

Jeanne dit: «Nous vivons nos vies en fonction d'une bande enregistrée il y a trente ans par des personnes à qui nous ne demanderions même pas notre chemin aujourd'hui.»

Je pouffe de rire en imaginant que je m'arrête à une station-service pour demander à mon père ou à ma mère des directions sur ma vie. Je ris parce que, aussi absurde que soit cette image, cela fait quarante ans que je suis les conseils de mes parents. Mais si je cesse de le faire, cela m'obligera à les laisser aller tels qu'ils vivent à l'intérieur de moi. Cela paraît libérateur, mais il y a tellement longtemps que je vis en leur compagnie que j'ignore quelle est ma véritable identité sans eux.

«Qui est cette personne que tu passes la majeure partie de ta vie à essayer de ne pas être?» me demande Jeanne.

Je me laisse couler au plus profond de moi-même, au-dessous des efforts, et je me sens calme et immobile. Ce n'est pas désagréable. Je pensais que je me sentirais gauche, grosse et stupide. Au contraire, j'éprouve du soulagement, un sentiment de calme, de plénitude. Le silence est entier, nuancé de chatoiements rouges et or, comme des grains de poussière qui flottent dans l'air.

Se peut-il que ce sentiment soit celui que j'ai si peur de ressentir? Trente ans à courir pour fuir un silence entier, rouge et or?

Je prends deux pots de beurre d'arachide, un croquant et un crémeux, et les dépose dans mon panier.

♥

Le mois dernier, j'animais un atelier à Seattle. Au cours d'une visualisation, j'invitai les participants à marcher jusqu'à une maison couverte de fleurs sur la façade de laquelle était inscrit leur nom. Lorsqu'ils pénétraient dans la maison, ils se trouvaient devant un long corridor et trois portes closes. La première porte donnait sur une pièce remplie de leurs mets préférés, des mets qu'ils mouraient d'envie de manger ou qu'ils se permettaient rarement de consommer. Je les invitai à entrer dans la pièce et à faire ce qu'ils voulaient de la nourriture: ne pas y prêter attention, la manger, y goûter, la toucher, s'y baigner. Puis je leur demandai de se rendre jusqu'à la deuxième porte close. Derrière cette porte se trouvait une chose susceptible de les satisfaire: une personne, une activité, un objet, une situation. En imagination, ils devaient entrer en contact avec cette chose et voir quelle sorte de satisfaction elle leur apportait. Puis je les guidai vers la troisième porte et les priai de demeurer à l'extérieur pendant quelques instants. Cette pièce, leur dis-je, contient votre désir le plus cher. Aussitôt entrés, vous en saisirez la nature. Puis je les invitais à ouvrir la porte et à passer tout le temps qu'ils voulaient avec leur désir le plus cher.

Après la visualisation, je demandai aux participants de parler de ce qu'ils avaient vécu et ressenti. Une femme déclara que la dernière porte s'était ouverte sur un sentiment de plénitude qu'elle avait toujours souhaité ressentir mais sans y parvenir. Une autre femme raconta qu'elle n'avait pas encore trouvé le travail qu'elle voulait exercer, mais que dans la pièce elle avait éprouvé l'impression merveilleuse qu'elle effectuait déjà ce travail. Je demandai si quelqu'un avait trouvé de la nourriture ou la minceur dans la pièce qui contenait son désir le plus cher. Personne ne l'avait fait. Puis je demandai s'ils avaient vu quelqu'un dans cette pièce. Personne. Tous sans exception y avaient ressenti une satisfaction profonde tandis qu'ils décrivaient l'expérience vécue dans les deux autres pièces en des termes comme «charmant», «mignon» ou «je ne tiens pas à y retourner». Leur désir le plus cher n'était pas une chose ni une personne, ni un objet palpable. C'était un état, une réaction à une situation: il résidait déjà en eux.

Je n'en ai pas la certitude, mais je suppose que si j'avais fait cette visualisation il y a cinq ans, quand la liste des best-sellers du *New York Times* était accrochée à la lampe de mon bureau, la célébrité aurait été à mille lieues de mon désir le plus cher.

Elle l'est encore.

Nous pensons savoir ce que nous voulons, ce qui nous rendra heureux. Mais la plupart de nos désirs sont fondés sur des tentatives de fuir, de corriger ou de consolider de vieilles images de nous-mêmes. Nous voulons être minces parce que nous nous voyons comme des personnes grasses et stupides, comme l'enfant torturée par un camarade en cinquième année, la fillette qui a subi les assauts sexuels de son oncle, l'enfant que ses parents ne désiraient pas. C'est ainsi que nous devenons minces, pas parce qu'il est agréable de se sentir légère, pas parce que nous aimons manger certains aliments, mais pour éviter de nous noyer dans la douleur vieille de trente ans, qu'engendre l'idée que nous sommes grosses, stupides, non désirées. Puis, comme la minceur ne modifie pas notre image de nous-mêmes ni ne chasse la douleur, nous reprenons les kilos perdus afin de pouvoir prétendre que nous serons heureuses quand nous les perdrons de nouveau. Ou nous décidons que nous avons besoin d'autre chose. Un enfant, un amant, un nouvel emploi, plus d'argent, un corps ferme.

Une participante confessa que son plus cher désir, quand elle était enfant, était d'être aimée de sa mère. Elle se rappelait qu'elle prenait les gants de celle-ci et y enfouissait le visage pour dormir. Elle se rappelait avoir vu sa mère enfiler une chemise de soie rose et avoir pensé qu'elle était la plus belle femme du monde. Elle décrivit son désir et comment il s'était frayé un chemin dans sa vie, comment elle avait appris à le cacher parce qu'elle se sentait rejetée par sa mère, la gêne qu'il lui occasionnait parce que sa mère buvait et se moquait d'elle. Elle s'était coupée de l'intégrité de son désir le plus profond — le désir d'être aimée — et s'était forgé une image d'elle-même fondée sur les jugements d'une mère qui la raillait et la rejetait. Or cette image était toujours intacte. Aujourd'hui, elle avait soixante-huit ans, et sa mère était morte depuis vingt ans.

Quand nous venons au monde, notre authenticité est intacte. Petit à petit, nous nous rendons compte que nos parents ne peuvent pas nous voir (parce qu'ils ne se voient pas eux-mêmes), ne nous connaissent pas (parce qu'ils ne se connaissent pas eux-mêmes), et que, si nous voulons gagner leur amour, nous devons revêtir un costume qui leur plaît. Ayant porté ce costume pendant des années, nous nous identifions avec lui même quand il devient trop petit et dépenaillé. Nous y sommes si attachées que nous refusons de le quitter, quoi qu'il nous en coûte; il représente tout ce dont nous nous souvenons de nous-mêmes. En général, nos efforts pour changer consistent à y ajouter des boutons, une garniture ou de faux diamants. La seule pensée de le retirer — de laisser aller nos parents tels qu'ils vivent en nous — nous déroute et nous effraie même.

Au fil des ans, j'ai apporté de nombreuses améliorations à mon costume. Mais il couvre encore une fillette qui ne se sent pas désirée ni même prise en compte, ce qui, fait paradoxal, est rassurant parce que cela m'occupe: je m'efforce de briller avec encore plus d'éclat. J'essaie d'être belle, de réussir dans la vie, d'être célèbre, j'essaie, j'essaie, j'essaie. Et même si mes efforts donnent parfois de merveilleux résultats, me procurent des choses que je veux vraiment, tant que je ne retirerai pas mon costume, mon image de moi-même demeurera inchangée.

Était-ce prodigieux de figurer sur la liste des best-sellers même pendant seulement deux semaines?

Tout à fait.

C'était une preuve que mon travail touchait des gens et l'aboutissement de nombreuses années de travail. Cela a été mémorable de bien des façons, mais je ne l'ai pas apprécié parce que cela ne m'a pas apporté ce que je désirais par-dessus tout: transformer la façon dont je me sens dans mon corps. La différence entre ce que j'ai ressenti et ce que j'ai cru que j'allais ressentir m'a tellement déçue que j'aurais donné la lune pour que mon livre demeure sur la liste, car j'étais convaincue que l'important, ce n'était pas que mon livre *y figure,* mais plutôt qu'il *y reste.*

Depuis toujours, je crois que si je cesse de faire des efforts, ma vie se désintégrera et je n'arriverai à rien. Je tomberai dans le puits sans fond qui consiste à manger du chocolat, à porter des boubous et à prendre deux cents kilos. Je crois que la fillette grosse-stupide-et-laide est toujours sur mes talons et que si je cesse de courir, elle me rattrapera, prendra ma place. (Cette peur, comme le souligne Jeanne, n'explique pas le fait que l'écriture et l'enseignement soient deux grandes passions dans ma vie, et que je m'y adonne pour le plaisir que j'en retire et non parce qu'elles m'apportent la notoriété.)

♥

Nous avons besoin de nouilles au quinoa, des coudes et des coquillettes. Je tourne le coin avec mon chariot, prends trois boîtes de nouilles, un pot de sauce tomate aux champignons et à l'ail. Les dépose près des pâtes.

Matt arrive par-derrière, met deux litres de jus de pommes dans le panier. Trois bouteilles d'eau minérale, deux paquets de tofu teriyaki, un litre de yogourt.

— Ils n'ont pas de soda à la cerise, dit-il. Que nous faut-il d'autre?

Il regarde dans le panier, voit trois boîtes de nouilles de quinoa, deux pots de beurre d'arachide, un pot de sauce tomate et trois sacs de pâtes de fruit.

— Tu n'es pas très avancée, chérie. Qu'as-tu fait pendant tout ce temps?

— Je pensais à porter des boubous et à manger du chocolat et à ce qui arriverait si je cessais de faire des efforts.

Pas de réponse.

Je poursuis.

— J'agis comme si je ne croyais pas qu'une personne animée de véritables passions se cache derrière tous ces efforts. J'ai besoin de la célébrité pour soutenir ce qui ne me paraît pas réel.

— Cela t'ennuirait-il que nous parlions de cela à la maison? demande Matt. J'ai du mal à discuter de la Réalité et de la Vérité à côté du papier de toilette et des bébés hurleurs. Prends du riz et du maïs soufflé, je vais chercher les courgettes. Nous faut-il autre chose?

Je sors la liste de ma poche.

— Du saumon, de la laitue, des champignons shiitake, du chou.

Il se dirige vers les légumes. Je fais quelques pas en direction des aliments en vrac. M'arrête devant les différentes sortes de riz. Riz basmati, riz sauvage, riz brun, riz noir. J'arrache un sac de plastique du rouleau placé sur l'étagère supérieure et y verse des pelletées de riz basmati. Avance jusqu'au maïs soufflé. Il y a quelque chose de tellement rassurant à m'accrocher à l'image de moi-même en tant que personne éternellement affamée et névrosée. Je sais comment être une enfant qui veut, mais pas une femme qui possède.

Matt s'approche les bras chargés et échappe un sac de courgettes. Il se penche pour le ramasser, marche jusqu'au chariot et y dépose les sacs de légumes.

— Rappelle-moi de ne pas venir ici avec toi quand tu te trouves au milieu d'un chapitre, dit-il.

♥

J'ai passé vingt ans en thérapie et pratiqué le bouddhisme pendant treize ans avec la volonté de changer, de me convaincre que je n'étais pas invisible, non désirée, grosse ou laide, et que le passé est révolu: vis le moment présent, Geneen, sors de ton égocentrisme. J'ai sans doute passé plus de temps à analyser mon désir d'être mince qu'Einstein à élaborer la théorie de la relativité. Pendant des années, j'ai eu honte de mon désir de célébrité, puis j'ai voulu me convaincre d'y renoncer sous prétexte qu'il était superficiel et peu spirituel.

La thérapie m'a amenée à faire de brillantes découvertes et la méditation m'apprend à concentrer mon esprit, mais ni l'une ni l'autre n'ont réussi à effacer mon image de moi ni ne m'ont aidée à renoncer à ce que je veux.

Finalement, cela se résume à ceci: retire ton costume. Accepte de voir la partie de toi qui se sentira toujours grosse et laide, peu importe ta véritable apparence ou tes actions. Concentre-toi sur les raisons qui te poussent à t'accrocher à cette image plutôt que sur ton besoin de t'en débarrasser ou de prétendre qu'elle n'existe pas.

Il y a des années, quand j'ai compris que j'utilisais la nourriture pour exprimer les sentiments profonds que j'ignorais
comment exprimer autrement, j'ai abandonné mon régime
parce que je sentais qu'il m'avait amenée aussi loin qu'il le pouvait. Je m'en étais servi comme d'un radeau de sauvetage pour
me conduire sur l'autre rive, et bien que j'aie désormais mis
pied à terre, je continuais de tirer le radeau derrière moi.

Je savais comment suivre un régime. Je savais comment
m'empiffrer. Je pouvais me tirer les oreilles quand j'engraissais
et me taper dans le dos quand je maigrissais. J'ignorais comment être, manger, me définir sans m'accrocher au radeau de la
diète.

Quinze ans plus tard, le problème de la minceur réapparaît
dans ma vie, avec une acuité encore plus grande. Cette fois, je
traîne derrière moi l'image d'une personne grosse et laide
même si j'ai atteint l'autre rive.

Je sais comment être mince et je crois que je suis grosse. Je
sais comment réussir et je crois que je suis une ratée. J'ignore
comment me laisser tranquille. Je ne me conduis pas comme si
j'avais foi en l'intelligence biologique, lumineuse du cœur.

Mais voici ce en quoi j'ai *vraiment* confiance:

J'ai confiance dans mon désir d'être désirée, vue et aimée.

Le plus douloureux, dans l'histoire de la femme rejetée par
sa mère, ce n'est pas l'absence d'amour de celle-ci, mais le fait
qu'en se voyant à travers le regard de sa mère, cette femme s'est
coupée de son amour d'elle-même. Elle désirait être vue par sa
mère parce qu'elle avait besoin que quelqu'un lui reflète sa
propre valeur.

Nous croyons encore qu'être désirée, vue et aimée dépend
d'une tierce personne comme c'était le cas autrefois. Parce que
notre expérience de la plénitude a été anéantie par les images
que nous reflétaient les autres, nous croyons avoir besoin de
ces mêmes reflets pour ressentir la même plénitude. De sorte
que nous continuons d'adorer des déesses, d'espérer qu'une
plus grande renommée, un corps plus mince, un amour plus
grand comblera le vide; mais comme ce ne sont pas ces choses

qui ont créé le vide en premier lieu, elles ne peuvent pas le combler. Dans la pièce où se trouve notre désir le plus cher, nous ne trouvons personne d'autre que nous-mêmes.

Vouloir est la façon dont le cœur dit: «Ne t'arrête pas ici. Tu n'es pas encore arrivée.» Quand on les laisse faire, les désirs subissent un processus de raffinement. Nous commençons par vouloir un abri, de la chaleur et suffisamment à manger, puis nous désirons un travail satisfaisant, être minces, amoureuses, riches, célèbres, belles, réelles et enfin, libres. Mais à chaque tournant, il faut s'arrêter, ressentir la douleur, l'insatisfaction qu'engendre la réalisation de nos désirs. Nous devons être vigilantes. Dire la vérité. Comprendre que notre besoin de voir des déesses à l'extérieur de nous reflète notre refus d'intégrer tous les fragments épars et divins de nous-mêmes.

Quand nous dissimulons notre désir le plus cher sous celui d'être minces, célèbres ou riches, nous utilisons le seul recours que nous possédions enfants: nous oublions notre identité. Aujourd'hui, il nous incombe, non pas de renoncer à nos désirs, mais de dire la vérité sur ce qui se passe quand nos désirs se réalisent, et de continuer de peler les couches de notre être jusqu'à ce que nous découvrions le lien entre ce que nous voulons et ce que nous sommes.

Je suis certaine que la vérité ne me détruira pas.

Je suis convaincue que si nous pouvons nous permettre de sentir que nous avons passé notre vie à essayer de ne pas sentir, il ne nous arrivera aucun malheur, nous ne serons pas détruites. Je suis persuadée que notre capacité de nous sentir rayonnantes et bien vivantes réside dans notre volonté de sentir les parties de nous-mêmes dont nous nous sommes coupées.

Je suis certaine que je ne suis pas la seule à vouloir trouver la vérité.

Il est possible d'obtenir du soutien; il existe des gens — des maîtres, des amis — qui ne craignent pas d'être dévorés par l'obscurité et à qui la joie, le rayonnement, l'ouverture ne font pas peur, au contraire. Il est important de les trouver.

Je fais confiance à l'absence de confiance.

Nous avons d'excellentes raisons de ne pas nous fier à nos désirs. Une partie de notre tâche consiste à comprendre ces raisons.

Je fais confiance à la douceur du travail, et je suis convaincue que je ne peux me débarrasser d'aucune partie de moi-même.

Notre tâche ne consiste pas à changer mais plutôt à être ce que nous sommes dans notre totalité. Autrement dit, notre tâche n'est pas d'être autres que grosses et laides, mais de comprendre pourquoi nous nous accrochons à ces images malgré les passions et les motivations réelles qui nous animent.

Je suis persuadée qu'il est possible d'être joyeuse, rayonnante et satisfaite jour après jour.

Il est toujours possible de retirer les avantages que nous envisagions de la minceur, de la réussite ou de la célébrité: ils ne se trouvent simplement pas là où nous les cherchions. Ou, comme je l'ai entendu dire au cours d'une retraite consacrée à la méditation que je suivais récemment: ce que nous cherchons, c'est le chercheur.

Nous nous dirigeons vers la caisse lorsque soudain je pense à la muscade. «Je reviens tout de suite», dis-je. Je trouve l'allée des épices, et un flacon de cannelle me rappelle un jour passé en compagnie de ma mère à la veille de l'Action de Grâces, il y a quelques années. Nous avions passé la journée à acheter de la nourriture. Or, chaque fois que nous rentrions à la maison, nous constations que nous avions oublié un ingrédient. La quatrième fois, quand nous avons pensé à la cannelle, j'avais déjà enfilé ma robe de nuit.

— Je t'en prie, ma chérie, dit ma mère. Conduis-moi à l'épicerie. Je ferai vite. Tu n'auras même pas besoin de sortir de la voiture.

— Bon, d'accord, répondis-je.

J'enfilai un vieil imperméable par-dessus ma robe de nuit dont le volant dépassait. Puis je chaussai des bottes de caoutchouc, pris des lunettes de soleil et coiffai une casquette de base-ball. Je conduisis ma mère à l'épicerie et me garai devant.

— Je t'attends ici, lui dis-je.

Moins de cinq minutes plus tard, un gardien se dirigea vers moi.

— Hé! ma petite dame! Vous ne pouvez pas rester là.

Je jetai un coup d'œil sur l'océan de voitures stationnées dans le petit parking, leurs pare-brise étincelant comme la crête des vagues.

— Mais j'attends ma mère et c'est la folie furieuse ici. Elle ne me trouvera jamais quand elle sortira.

— Désolée, jeune dame. Je ne fais qu'appliquer les règlements relatifs aux incendies.

Je lui décochai un regard meurtrier, puis conduisis la voiture de l'autre côté du parking. Elle ne me trouvera jamais, pensais-je. Je dois aller la chercher.

Ma mère n'était nulle part en vue. Je recourus à la tactique que nous utilisions pour nous repérer dans les grands magasins et qui consistait à nous appeler l'une l'autre à grands cris.

— Maman, où es-tu?

— Je suis ici. Par ici, me cria-t-elle.

Elle occupait la deuxième place dans la file de la caisse la plus éloignée. Je me dirigeai vers elle sous le regard des autres clients fascinés par notre vulgaire manège.

— La voiture se trouve sur ta droite en sortant, dix rangées derrière. Je t'attends là-bas.

— Hé! s'exclama la caissière, ne nous sommes-nous pas déjà rencontrées quelque part? Votre visage m'est familier.

— Non, articulai-je. Je ne vous connais pas. Vous devez faire erreur.

— Je pourrais jurer que je vous ai déjà vue. Je vous connais, je suis sûre que je vous connais.

Je fis un pas vers la sortie. Ma mère agrippa la manche de mon manteau et me tira en arrière.

— Vous la connaissez parce que c'est une *vedette,* annonça-t-elle. Vous l'avez sans doute vue à la télévision; la semaine dernière encore, elle participait à *Oprah**. C'est une vedette.

— Chouette! C'est ça! Je vous ai vue à *Oprah*. En fait j'ai même couru acheter votre livre. Il est fantastique, absolument fantastique.

Toute fière, ma mère lui décocha son plus beau sourire. Puis elle se souvint que, dans mon livre, je décrivais ses années d'alcoolisme et de dépendance envers les médicaments.

— En passant, ajouta-t-elle, je ne suis pas vraiment sa mère.

Nous sortîmes du magasin en valsant, bras dessus bras dessous. Ma non-mère avec ses chaussures à talons hauts et ses pommettes hautes et moi, avec ma robe de nuit et mes bottes de caoutchouc.

---

* Émission très populaire animée par Oprah Winfrey. *(N.d.T.)*

CHAPITRE TROIS

DES VIES PARALLÈLES,
PREMIÈRE PARTIE:
LA PERTE DE MES CHEVEUX

Les femmes qui participent à mes ateliers affirment: «Si une personne m'aime même grosse, je sais qu'elle m'aime vraiment. Mais si elle fait remarquer que j'ai bonne apparence parce que j'ai maigri, je me demande si elle me trouvait affreuse avant. Je veux être aimée pour ce que je suis, pas parce que je suis mince ou que j'ai bonne mine.»

Je me demande ce que cela signifie, être aimée pour ce que l'on est. Je sais que cela n'a rien à voir avec l'apparence physique — poids, peau, vêtements, cheveux. Cela concerne, selon moi, les qualités que l'on ne peut pas peser ni mesurer. La texture de l'âme.

Je me demande pourquoi, si nous voulons toutes être aimées pour ce que nous sommes, nous gaspillons autant d'énergie à essayer d'être quelqu'un d'autre, à tenter de modifier notre apparence, nos actions, nos sentiments et nos pensées.

Je me demande qui nous pensons être au-delà de nos efforts et ce qui se passerait si nous nous relaxions. Si nous perdions d'un seul coup tout ce à quoi nous nous identifions, si nous ne pouvions plus travailler, faire de l'exercice, faire l'amour, nous occuper de nos enfants, si nous ne pouvions plus nous servir de notre visage, de notre corps, de notre personnalité pour nous tirer d'affaire. Serions-nous alors celles que nous sommes vraiment?

Je réfléchis à cela parce que j'ai perdu mes sourcils et mes cils, que mes cheveux tombent par poignées et que, privée des attributs que j'utilise d'ordinaire pour me présenter aux autres, je ne sais plus trop qui je suis.

Dernièrement, je regardais des photos de nos vacances aux Antilles. Sur l'une d'elles, Matt et moi marchons sur la plage en nous tenant avec aisance par les épaules. L'homme à qui nous avions demandé de nous prendre en photo, un type maigre aux cheveux cuivrés qui, nous l'avons découvert par la suite, était proctologue*, a fait la mise au point sur mon visage et sur le palmier derrière moi, amputant du même coup la moitié du nez, des yeux et de la bouche de Matt. Mais mes sourcils sont bien là, arrondis comme des coquillages et modestement arqués. Le jour où fut prise cette photo, je buvais un piña colada dont le goût me rappelait celui de la glace à la noix de coco de chez La Guli. Nous nous promenions sur la plage de sable noir, et Matt avait trouvé une grande conque de la couleur des chaussons d'une ballerine. Nous avions fait de la plongée et aperçu un bébé tortue. Mon masque prenait l'eau et la nageoire de caoutchouc de mon pied droit frottait contre mon orteil. Pas un instant, je n'ai remarqué mes sourcils ni ne les ai appréciés.

Maintenant ils ont disparu, de même que mes cils et la plus grande partie de mes cheveux.

Je ne souffre pas d'un cancer. Je ne suis pas en train de mourir.

Je souffre d'un empoisonnement à la vitamine A, causé par un grave malentendu qui s'est glissé entre mon médecin et moi (celui-là même qui m'avait prescrit la diète contre la candidose et que j'ai cessé de consulter). Au lieu de quatre gouttes par jour, j'ai pris quatre compte-gouttes, soit la différence entre vingt mille unités et quatre cent mille unités. Comme la vitamine A est emmagasinée dans le foie et non éliminée avec l'urine,

---

* La proctologie est une branche de la médecine qui traite des maladies de l'anus et du rectum. *(N.d.T.)*

elle est particulièrement toxique; les symptômes mettront six mois à disparaître. Entre-temps, un nouveau fléau s'abat sur moi chaque semaine: douleurs dans les os et les articulations, éruption suintante, peau orange vif. Chaque centimètre de mon corps me démange et me brûle, mais ce n'est rien comparé à la perte de mes cheveux.

Je n'ai jamais eu beaucoup de cheveux, et cela me tracasse depuis que j'ai sept ans. Avant d'apprendre à imputer mes malheurs à ma graisse, je m'en prenais à ma chevelure. En quatrième année, j'étais convaincue que Mariette avait décroché le rôle d'Anna dans *Le roi et moi* (et moi, celui de sa doublure) parce que la nature l'avait dotée d'une chevelure naturellement bouclée qui tombait en rouleaux épais sur ses épaules. Pour ma part, j'avais des cheveux fins et peu épais qui refusaient de boucler ou de rester dans une barrette plus de dix minutes.

Chaque fois, pendant toutes ces années, que ma mère et moi empruntions l'escalier roulant d'un grand magasin (et croyez-moi, c'est un nombre de fois statistiquement significatif), elle remarquait, dans la direction opposée, une femme à la chevelure aussi épaisse que les chutes du Niagara (habituellement rousse et longue), une femme qui avait l'air d'avoir besoin d'un lasso pour retenir ses cheveux en queue de cheval. En général, je me trouvais au beau milieu d'une phrase quand ma mère agrippait mon bras, et, se servant de son nez pour m'indiquer le nuage roux, s'exclamait: «Quelle chevelure! As-tu déjà vu pareille crinière? Dans ma prochaine vie, je t'en prie mon Dieu, donne-moi des cheveux épais.» Quelquefois, mais pas toujours, elle ajoutait: «De tous les attributs que tu aurais pu hériter de moi, il a fallu que tu hérites de mes cheveux!» Elle soupirait et claquait la langue tandis que l'imposante toison rousse se dirigeait avec grâce (mais avec ingratitude, nous en étions persuadées) vers le rayon des meubles.

Dans notre famille, les cheveux étaient une source de conjectures et d'excentricités. Mon père commença à perdre ses cheveux à l'âge de trente ans et décida de porter un postiche, «pour ressembler à Frank Sinatra, disait-il, le beau mec aux yeux bleus». Ma mère portait, elle aussi, des postiches et une mèche queue de cheval qu'elle utilisait pour augmenter la densité de sa chevelure. Au cours de nos fréquentes discussions à ce sujet, ma mère m'inculquait les règles du monde hirsute: les cheveux à la taille ne conviennent pas aux femmes de plus de trente-cinq ans; les cheveux fins devraient toujours être coupés court; les femmes de plus de quarante ans ne devraient pas porter les cheveux à la hauteur des épaules.

Quand j'avais six ans, un jour ma mère utilisa ses ciseaux à ongles pour tailler ma frange et m'infligea une entaille en diagonale sur le front. Le lendemain, elle m'expédia au salon de coiffure pour une coupe et une permanente. Marie, dont la joue droite s'ornait d'un énorme grain de beauté surmonté d'une touffe de poils, enroula mes cheveux sur des bigoudis durs et roses, les imbiba de solution et attendit qu'un miracle se produise. C'était peine perdue. Hormis une petite ondulation ici et là, mes cheveux refusaient de boucler.

Je connus des jours de gloire lorsque les filles se mirent à repasser leurs cheveux, à les enrouler sur des boîtes de soupe et à tout faire pour qu'ils ressemblent à ceux dont la nature m'avait gratifiée. Hélas! les chevelures épaisses et vigoureuses sont revenues à la mode et le sont toujours restées.

Il y a dix ans, je découvris un artiste coiffeur, ainsi que je l'appelais, un Picasso aux ciseaux, qui fit des merveilles avec mes cheveux. Après être passés entre ses mains, ils avaient l'air souples, brillants et même épais vus sous certains angles (l'arrière et le côté droit). Je lui jurai fidélité jusqu'à ma mort. Pendant cinq ans, je parcourus les cent vingt kilomètres qui séparaient Santa Cruz de San Francisco toutes les six semaines. Quand il devint alcoolique, toxicomane, se mit à mentir de façon invétérée, à manquer ses rendez-vous, quand il promit de me couper les cheveux avant ma tournée publicitaire, m'assura que je pouvais venir chez lui et l'appeler le jour convenu pour qu'il m'indique le chemin, quand il laissa son téléphone décroché toute la journée tandis que je l'appelais toutes les cinq minutes depuis une station-service, persuadée qu'il tiendrait sa promesse et ne me trahirait pas, comme toute femme qui adore se faire couper les cheveux, je lui demeurai fidèle dans l'espoir qu'il changerait. Au lieu de cela, il s'inscrivit à un programme de désintoxication résidentiel et déménagea en Oregon.

Au début, je crus qu'il serait exagéré d'effectuer un trajet de six cent quarante kilomètres pour une simple coupe de cheveux. Puis, comme tout dépend du point de vue dans lequel on se place, que la distance est subjective, et qu'à mon avis, s'offrir une bonne coupe de cheveux équivaut à s'estimer soi-même, ces six cent quarante kilomètres m'apparurent comme une bagatelle. Je me ménageais des arrêts de deux heures en cours de route pendant lesquels je donnais des ateliers. Richard venait me chercher à l'aéroport, me conduisait au salon où il travaillait, me donnait la coupe de cheveux dont j'avais tant envie, puis me reconduisait à l'aéroport. Sara et moi transformions ces voyages en week-ends aventureux. Dès que nous nous trouvions sur l'autoroute, nous mettions une cassette de rock'n roll, baissions les glaces et chantions à tue-tête. Nous assistâmes à la représentation de *Macbeth* et de *Roméo et Juliette* pendant le festival Shakespeare, dormîmes dans des motels minables. Mais l'essentiel, c'est que nos cheveux dansaient et avaient l'air en santé. Puis, j'épuisai tous mes points de grand voyageur et après avoir reçu quelques horribles coupes de la part d'horribles coiffeurs, je dénichai un artiste plus près de chez moi.

Bien que j'eusse pu mériter le prix de la «femme prête à effectuer le plus long trajet pour une coupe de cheveux», l'idée de se définir en fonction de son apparence n'en est pas moins répandue. Richard me raconta qu'à l'époque où il travaillait dans un grand salon, une cliente avait intenté un procès au patron pour lui avoir infligé un traumatisme affectif. Elle prétendait que ses cheveux avaient l'air d'avoir été taillés autour d'un bol les yeux fermés et affirma qu'elle avait pleuré pendant quatre jours et s'était terrée chez elle pendant deux semaines. Le juge lui accorda un montant suffisant pour s'acheter trois chapeaux.

Même Matt, mon modèle de santé mentale et d'équilibre, se prêta un jour aux ciseaux d'un coiffeur qui ignorait comment tailler ses cheveux laineux; or il se plaignit pendant une semaine que sa tête avait l'air carrée comme une boîte et non ronde comme une tête. Un jour, pendant cette période, je le surpris debout devant un miroir en train de tirer sur ses cheveux.

Nous semblons croire pour la plupart que nous sommes l'image que nous incarnons, et tant qu'il ne nous arrive rien de draconien, d'irréversible, nous ne remettons pas cette croyance en question.

Une fois, j'ai eu un patron qui s'appelait Philippe. C'était un cadre haut placé ainsi qu'un triathlète, un mari, et le père de deux jeunes enfants. C'était un homme riche, un homme d'avenir, un homme conscient de son identité. Lors de son examen annuel, le médecin diagnostiqua chez lui un cancer inopérable. Moins de trois mois plus tard, il était cloué au lit. Ses souliers de course étaient suspendus par les lacets à la porte de son placard; les clés de sa Mercedes rouge décapotable demeuraient inutilisées sur une étagère de sa penderie. Son corps, qu'il avait musclé, tonifié et perfectionné pendant dix ans, s'atrophia faute de mouvement. Il ne pouvait plus prendre ses enfants, faire l'amour avec sa femme, diriger sa société ni apprécier sa maison qui valait un million de dollars et abritait une collection de peintures européennes. Sa vie devint très simple (entendait-il les oiseaux chanter le matin? pourrait-il s'asseoir dans le jardin aujourd'hui? les iris étaient-ils en fleurs? était-il capable de lire une histoire aux enfants?) et, assise à son chevet dans sa chambre de malade, à côté d'une bonbonne d'oxygène et d'un plateau de médicaments, je me rendis compte avec étonnement que je l'enviais.

Certes, sa mort prochaine m'attristait. J'étais horrifiée de la rapidité avec laquelle elle approchait, mais il y avait quelque chose de spacieux chez mon ami, quelque chose de paisible et de transparent dans sa présence. On aurait dit qu'avant sa maladie, il avait vécu dans une pièce étroite et privée d'air et qu'il venait d'ouvrir tout grand toutes les portes. Il pouvait se détendre. Désormais, il n'avait plus rien à prouver ni à faire, nulle image à incarner. Il n'anticipait plus aucune récompense, aucune victoire.

J'avais trente ans à l'époque, mon premier livre était sur le point d'être publié et j'enjolivais mes rêves en imaginant la vie de splendeur que je mènerais bientôt. Tout en regardant le corps de Philippe se détériorer et son ouverture s'accroître, je décidai qu'une fois devenue célèbre, je trouverais une façon d'être calme et spacieuse sans pour autant tomber malade, tout perdre et mourir.

♥

— Rasez-moi la tête, ordonnai-je à ma styliste de San Francisco. Je ne peux pas supporter de trouver des paquets de cheveux sur mon oreiller chaque matin. Prenez un rasoir électrique et débarrassez-m'en.

— À mon avis, vous n'êtes pas prête à cela, me répondit-elle. C'est un énorme changement. Vous n'avez pas besoin de prendre une mesure aussi radicale. Je peux couper vos cheveux plus court et dans un mois, si vous voulez toujours les raser, je le ferai.

J'acceptai une coupe courte. La coiffeuse les sépare dans le milieu au lieu du côté, et les coupe de manière à dissimuler les endroits chauves. De derrière, on ne dirait pas que je perds mes cheveux. Mais quand je me regarde en face, je distingue la courbe pâle de mon cuir chevelu, aussi nu que la lune d'août.

J'ai mis du temps à comprendre que mes cheveux tombaient. Mes démangeaisons me faisaient trop souffrir pour que je puisse penser, sentir ou me soucier de quoi que ce soit. J'avais envie de sauter hors de ma peau, de me jeter contre le mur pour faire cesser la sensation de piqûre et de brûlure. J'ai essayé de prendre des analgésiques, de respirer dans la douleur, de discerner quelle sensation réelle procurait la démangeaison. La ressentais-je sur la surface de la peau ou juste au-dessous? Quelle couleur avait-elle? Quelle forme? La méditation était utile pendant un certain temps, une heure, deux peut-être. Puis j'oubliais de respirer, les démangeaisons reprenaient et j'éprouvais une énorme pitié pour moi-même.

Puis les démangeaisons finirent par disparaître et avec elles, les saignements de nez, les maux de tête et l'urticaire. Mais un matin, tandis que je me brossais les dents, je fus frappée par la pâleur de mon visage. Outre les taches brun foncé de la taille d'une balle de base-ball qui s'étendaient sur mes joues, consé-quences elles aussi de l'excès de vitamine A, j'aperçus une ligne monochrome qui allait de mes yeux à mes cheveux. Je compris soudain que mes sourcils étaient tombés. Les poignées de che-veux que je trouvais sur mon oreiller indiquaient que je perdais tous mes poils. Debout devant l'évier, je fondis en larmes.

C'est la nudité que je ne supporte pas. Le sentiment d'être exposée, de n'avoir rien derrière quoi me cacher. J'avais l'habitude de pouvoir me coiffer, me maquiller et avoir l'air différent de ce que je ressentais. Je pouvais «revêtir mon autre visage» comme le disait ma mère. Maintenant, je n'ai aucun moyen de me sentir belle. Je ressemble à ces vieilles veuves de Miami qui font leur épicerie en arborant des sautoirs de perles roses et des étoles de vison avec une tête et des pattes griffues. Depuis le cou jusqu'en bas, elles en imposent. Mais elles arborent leur vulnérabilité comme une couronne qu'elles portent à contrecœur et qui brille à travers leurs che-veux fins.

J'erre de pièce en pièce, m'arrête devant la fenêtre de la cui-sine, fixe le chat gris pelotonné sur le fauteuil à motif cache-mire de l'appartement de ma voisine. Quand je me trouve devant l'évier, j'aperçois ses longues jambes. Et son épaisse che-velure couleur de miel. Des milliers de femmes, cette année — une sur neuf —, seront atteintes d'un cancer du sein, suivront une chimiothérapie et perdront leurs cheveux. Je pleure sur elles tout en hachant une tomate, étends le bras pour prendre une carotte. Comment feront-elles, me demandé-je, pour faire des choix dont dépend leur vie *tout en* perdant leurs cheveux? Tout en perdant leurs cheveux *et* un sein ou les deux?

Matt raconte que, quand sa première femme, atteinte d'un cancer des ovaires, a perdu ses cheveux à la suite d'une chimiothérapie, il l'a accompagnée dans des groupes de soutien pour personnes atteintes du cancer où toutes les participantes étaient chauves. Au début, précise-t-il, c'était une grosse affaire. Mais par la suite, les femmes disaient: «Et puis après? Nous avons perdu nos cheveux, ce ne sont que des cheveux après tout.»

Ce ne sont que des cheveux après tout, me répété-je sans arrêt, comme on récite un mantra ou chantonne un air: «Ce ne sont que des cheveux, ce ne sont que des sourcils. Je ne suis pas mon visage.» Je ne me crois pas. Ce ne sont pas seulement des cheveux, ni seulement des sourcils. Je *suis* mon visage. Je l'ignorais auparavant, mais désormais je le sais. Si j'ai cru que le fait de méditer chaque jour pendant treize ans m'a aidée à me détacher des phénomènes temporels, j'avais tort.

Mon amie Moo me parle du jour où elle s'est coupé les cheveux. Elle avait alors trente-trois ans (l'âge de la crucifixion de Jésus, souligne-t-elle, un moment très significatif dans la vie de tout le monde). Armée de tambours et de ciseaux, elle se rendit à la plage avec une amie. Puis, ayant entonné un chant en l'honneur de la déesse Cérès*, la déesse sous-marine dont la chevelure est couverte d'algues et de serpents frémissants (n'est-ce pas plutôt Méduse, lui demandé-je. Ne confonds-tu pas la déesse des cheveux avec celle qui changea tout le monde en statue de pierre?), elles taillèrent, chantèrent, jouèrent du tambour. Les cheveux sont une grosse affaire, me confie-t-elle. Regarde les nattes africaines, les nattes des rastas. C'est leur façon d'exprimer ce qu'ils sont, leur héritage, leur importance dans le monde. Mais, lui demandé-je, s'ensuit-il que si on perd ses cheveux, on perd sa signification? Bien sûr que non, répond-elle, ne dis pas de bêtises. Je n'en ai absolument pas l'intention, dis-je.

---

* Cérès: déesse romaine des Moissons. On dit coiffure à la Cérès: couronne de cheveux nattés au-dessus du front. *(N.d.T.)*

J'avance péniblement tout au long de la journée comme si j'étais sous l'eau. J'observe les gens en santé, les gens pleins d'énergie, les gens qui ont des sourcils, qui se déplacent rapidement au milieu des foules ou grimpent les escaliers quatre à quatre. Ils m'apparaissent comme des étrangers venus d'une autre planète, des extra-terrestres qui n'ont pas à utiliser leur énergie au compte-gouttes.

Je n'arrête pas de demander à Matt si la vue des plaques dégarnies de mon crâne, l'absence de sourcils et de cils le dégoûtent, et chaque fois, il m'assure qu'il m'aime quoi qu'il arrive. «C'est un genre, affirme-t-il, comme les sourcils percés et les mohawks aux cheveux fluo que l'on voit en ville. Tu es très bien assortie avec eux.»

Je pouffe de rire.

— Vraiment? Tu m'aimes encore? Tu n'es pas dégoûté par mon apparence?

— Chérie, dit-il, cela n'a aucune importance, vraiment aucune.

— Si je tuais quelqu'un, reprends-je, tu ne m'aimerais pas; donc, ce n'est pas vrai que tu m'aimes quoi qu'il arrive.

Il soupire.

— Tu serais bien incapable de tuer, Geneenie. Tu ne ferais rien qui trahisse ton essence profonde. C'est de ça que je parle. C'est pourquoi je peux dire quoi qu'il arrive.

Facile pour lui de dire qu'il fait confiance à «l'essence». Je ne sais même pas ce qu'est cette essence ni qui il voit en moi; je sais seulement que ce n'est pas à cela que ma vie est censée ressembler. Perdre mes cheveux ne fait pas partie du programme. Je sais comment les choses sont censées se dérouler. Si je prends des décisions judicieuses, possède le corps et les cheveux qu'il faut, accède à la réussite, alors ma vie se déroulera sans heurts et je serai aimée.

Le seul «quoi qu'il arrive» que je connaisse, c'est que, quel que soit l'événement susceptible de me faire changer d'avis, je crois encore à cette vie parallèle. J'attache encore une importance démesurée, comme si c'était une question de vie ou de mort, à mes paroles, à mes actions et à mon apparence tel ou tel jour, à ce que je produis et accomplis, et à la qualité de mon travail. Chaque moment s'appuie sur le suivant, attendant en haletant de voir si je le mérite.

Je me surprends à vivre dans mon univers parallèle lorsque je me livre à diverses activités: avant de m'endormir le soir; quand je rêvasse; après avoir terminé la rédaction d'un livre et en attendant sa publication; en lisant *Vogue* ou *Marie-Claire*; et en essayant des vêtements. Je nous vois, Matt et moi, nous habillant pour nous rendre à l'opéra (il déteste l'opéra), au ballet (il déteste ça aussi) ou à quelque autre endroit de la ville (je n'aime pas la ville) où il nous faut des vêtements comme ceux-là. Dans ce monde parallèle, les gens sont minces, sont dotés d'une chevelure fournie et passent leur vie à faire des entrées théâtrales ici et là, à tourbillonner dans des robes de taffetas noir, les yeux brillants. Dans ce monde-là, être beau est significatif, être célèbre rend les gens heureux et être mince vous ouvre les portes dorées de l'univers.

Enfant, je croyais en un monde où les apparences comptaient parce que la beauté, la richesse et la renommée étaient des dieux révérés par toutes mes connaissances et que mon apparence était la seule chose que je pouvais vraiment influencer. Les objectifs jumeaux de la minceur et de la renommée me donnaient un but à viser: j'étais persuadée qu'une fois ce but atteint, ma mère pourrait m'aimer. En même temps, ils me permettaient de fuir ma famille disloquée.

Aujourd'hui, devenue adulte, j'ai été mince pendant quinze ans, je suis connue à l'épicerie et par un petit segment de la population (les gens qui lisent mes livres) et j'attends encore d'être mince et célèbre. Pour vivre dans le monde promis. Je ne pensais pas que j'attendais cela, mais la perte de mes cheveux m'a convaincue du contraire.

Je ressens le désespoir de quelqu'un qui a raté sa chance. Les personnes chauves ne sont pas belles, ne font pas d'entrées théâtrales dans les lieux qu'elles fréquentent, ne portent pas de robes de taffetas noir. Je ne puis plus prétendre qu'une vie différente m'attend au tournant (peu importe le fait que j'aime mon mari, mon travail, ma communauté, peu importe que cette vie soit ma vie, celle que j'ai créée, celle que je veux), j'attends toujours l'amour, la gloire, la récompense. J'essaie encore d'être la fillette que ma mère pourra aimer.

La semaine dernière, j'ai pris un *Vogue,* l'ai ouvert à la dernière page. Elle était couverte d'étincelants bracelets de diamants. Je me suis surprise à imaginer le plus épais à mon poignet, celui qui était incrusté d'émeraudes. Dans mon autre vie, celle où j'entre dans une pièce en faisant virevolter ma robe de bal, je suis ravissante avec ce bracelet d'émeraudes et de diamants. Au beau milieu d'une conversation fascinante avec un artiste de renom, je me souviens que dans mon univers actuel, je suis chauve. En outre, je passe la majeure partie de la journée dans les vêtements que je porte pour écrire: une combinaison d'un bleu délavé vieille de douze ans et couverte de taches d'encre rouge, dont les manches sont déchirées et dont les jambes s'arrêtent à dix centimètres au-dessus de mes chevilles.

Ensuite, je lis un article sur les grands mannequins. J'ai passé des années à attendre de grandir pour pouvoir ressembler à un mannequin, car j'étais convaincue que grandir signifiait changer de corps pour en prendre un nouveau. À seize ans, j'ai fini par comprendre que mes jambes avaient cessé d'allonger et que ma chevelure n'épaissirait pas. Je ne ressemblerais jamais aux femmes à la chevelure splendide des annonces de shampooing. Cela me causa un choc.

Je ne suis pas la seule dans mon cas. Quarante mille jeunes femmes posent leur candidature pour devenir mannequins chaque année. Quatre le deviennent. Le problème tient au fait que mesurer un mètre quatre-vingt et peser cinquante-cinq kilos constitue l'exception et non la règle. Un centième de un pour cent des femmes qui posent leur candidature possèdent le physique de l'emploi. Ce chiffre ne tient pas compte des femmes qui ne postulent pas mais souhaiteraient le faire. Celles qui restent à la maison et attendent de grandir, qui voudraient couper des tranches de leurs cuisses et de leurs bras afin de ressembler à une enfant abandonnée. Ce chiffre ne tient pas compte de la femme américaine moyenne, qui mesure un mètre soixante, pèse soixante-cinq kilos et porte du quarante-deux.

Dans l'article de *Vogue,* les grands mannequins parlaient de leurs défauts. Christy Turlington, soi-disant «la plus belle femme du monde», déclare: «Je sais comment faire en sorte que chaque partie de mon corps ait l'air différente de ce qu'elle est vraiment. Je peux faire en sorte que mes yeux et mes lèvres paraissent plus grands en abaissant le menton. Je peux faire en sorte que mes hanches aient l'air plus étroites et ma poitrine, plus généreuse. On peut retoucher n'importe quelle partie du corps pour la photographie.»

Ce qui veut dire que même elle ne ressemble pas à ce qu'elle est vraiment. Je me rappelle avoir vu à la télévision une fillette anorexique de quatorze ans qui pesait vingt-sept kilos. Elle voulait ressembler à Claudia Schiffer, mais ce qu'elle voyait dans les magazines n'était pas vraiment Claudia Schiffer. C'était une image retouchée, une fausse image.

Comment pouvons-nous faire concurrence à des images? Est-il plus important de ressembler à un mannequin qui fume comme une cheminée, se ronge les ongles et vit de pâtes sans sauce que de ressembler à nous-mêmes? En tant que femmes, quels seraient notre apparence, nos sentiments, notre vie si nous utilisions l'énergie que nous gaspillons à essayer de faire paraître nos hanches plus minces et nos lèvres plus charnues à dire la vérité, à découvrir notre véritable identité, puis à l'incarner?

La vie de la plupart d'entre nous ne ressemblera jamais à celle des vedettes des magazines, du cinéma ou de la télévision. Une fois le film terminé, nous devons quand même retourner à notre propre vie. Et si nous passons celle-ci à essayer de mener celle de quelqu'un d'autre, nous ne saurons jamais qui nous sommes vraiment.

Il y a sept ans, mon amie Shirley a perdu trente-six kilos qu'elle a réussi à ne pas reprendre en suivant un régime pauvre en graisses et en faisant de l'exercice six jours par semaine «envers et contre tout». Le mois dernier, elle est tombée en bas d'un escalier et s'est fracturé la jambe à trois endroits. Le médecin affirme qu'elle ne pourra pas faire de l'exercice avant trois mois et Shirley est terrifiée. «Que vais-je faire? demande-t-elle. J'ai besoin d'être active. Je ne suis pas du genre à me tourner les pouces toute la journée. Je vais devenir dingue. Et puis je vais engraisser. Ça, c'est le pire. Se casser la jambe n'est pas agréable, mais grossir, c'est encore pire.» Qui est Shirley quand elle ne peut pas courir cinq kilomètres par jour, qu'elle prend sept kilos et est privée de son principal moyen d'affronter le monde, en l'occurrence une constante activité?

À un moment donné, il faut accepter le fait que nous ne nous sentirons jamais aimées pour nous-mêmes tant que nous n'aurons pas découvert notre véritable identité. Nous devons décider à quelles parties de nous-mêmes nous voulons attribuer une signification. Sommes-nous notre visage? Notre corps? Nos relations? Notre travail?

Même si nous jouissons d'une santé parfaite et d'une épaisse chevelure, nous riderons et vieillirons néanmoins. Les nombreux aspects de notre vie (notre physique, notre carrière, notre rôle de parent et de partenaire amoureuse) auxquels nous nous identifions se transformeront inévitablement et il nous appartiendra de découvrir le fil qui relie toutes les parties — notre essence — dans la vie de tous les jours.

♥

Je décide d'aller à Tassajara, un centre de retraite zen situé en montagne. Personne ne me connaît là-bas et les moines sont chauves. Je pourrai étudier les plis de leurs cuirs chevelus, remarquer à quoi ressemble un cou quand il n'est pas tapissé de cheveux. Je pourrai méditer, tenter de replacer ma situation dans son contexte, me rappeler que je ne suis pas à l'agonie, que ce sont seulement des cheveux. Aux bains, j'aperçois une femme qui a perdu les deux seins, et dont l'un des bras est trois fois plus gros que l'autre. Je la regarde s'extirper de son fauteuil roulant et se glisser dans l'eau chaude. Nous sommes seules dans le bain. Un geai bleu croasse et la femme me demande comment je m'appelle. Au fond, je voudrais répondre: «Je m'appelle Geneen, je suis malade depuis trois ans et je perds mes cheveux, mais j'ai mes deux seins et je n'ai pas besoin de fauteuil roulant; pouvez-vous m'expliquer ce qui donne un sens à votre vie?»

Au lieu de cela, nous parlons de nos séjours à Tassajara, de la vie à Berkeley, de notre travail: ma compagne célèbre son soixante-dixième anniversaire et son dernier livre sortira à l'automne.

Le lendemain matin, je prends mon courage à deux mains et lui demande à quel moment elle a perdu ses seins et pourquoi elle se déplace en fauteuil roulant. Elle m'explique qu'elle a contracté la polio il y a cinquante ans, un cancer du sein il y a trente ans, que la grosseur de son bras est due aux radiations et que le syndrome post-poliomyélitique l'a condamnée au fauteuil roulant. Je lui parle du syndrome de fatigue chronique, de la candidose et de l'empoisonnement par la vitamine A.

— Mais la perte de mes cheveux est la goutte qui a fait déborder le vase, affirmé-je, et j'en souffre sans arrêt. Je me sens idiote de me préoccuper autant de mes cheveux. Je ne suis pas en fauteuil roulant ni en train de mourir.

Elle me regarde avec tant de compassion que je fonds en larmes.

— Pouvez-vous me dire comment vous avez surmonté autant de pertes physiques? lui demandé-je.

— On ne peut pas comparer une maladie avec une autre. Je ne pense pas au fait que je doive me déplacer en fauteuil roulant. Je ne laisse pas cette réalité m'empêcher de vivre ma vie. Je ne suis pas embarrassée par mon absence de poitrine.

«Mais la semaine dernière, on m'a fait une affreuse coupe de cheveux et, quand je me regarde dans la glace, cela me préoccupe terriblement. Quand je n'aime pas mes cheveux, je n'aime pas mon apparence et cela me gêne.»

Je la dévisage d'un air ahuri puis éclate de rire. Je me rends compte qu'elle a lutté pendant cinquante ans pour accepter sa maladie et qu'elle est irritée par une simple coupe de cheveux. Tout de même, l'idée que ses cheveux la dérangent atténue mon sentiment de honte et de solitude.

Je passe la semaine à écrire, à faire la sieste, à manger du pain croûté maison chaud et des soupes aux fruits. Je lis *A Whole New Life* de Reynolds Price, dans lequel il écrit qu'aux termes d'une bataille effroyable contre le cancer qui a changé sa vie, après être devenu paraplégique, après des années de hurlements et de souffrances, quand il compare sa vie actuelle à son passé, il affirme que «bien que les cinquante premières années de ma vie aient été agréables, les années qui ont suivi la catastrophe totale ont été encore meilleures».

Meilleure. Il dit que sa vie est meilleure maintenant que lorsqu'il pouvait marcher, courir, aller aux cabinets sans manœuvres athlétiques. Il déclare: «Jusqu'ici, je n'ai observé aucune autre vie qui semble avoir procuré autant de plaisir à son titulaire que la mienne.» Si sa vie est meilleure maintenant alors qu'il ne peut pas vivre seul, que ses jambes ressemblent à des poissons morts qui pendent de son torse, qu'il souffre constamment, c'est qu'il a pris sa souffrance par la main et a cheminé avec elle, qu'il l'a plantée dans le sol fertile et effervescent de sa conscience, là où la patience naît d'une attente interminable et où l'amour arrive à se frayer un chemin. Là où les purs plaisirs de l'amitié, du travail et de l'amour sont suffisants — en autant que l'on soit prêt à fondre et à se laisser façonner par la douleur. Que l'on ne cherche pas à harmoniser sa vie avec un idéal. Que l'on s'accepte tel que l'on est.

La perte de mes cheveux m'aura au moins appris ceci: mon visage ne me ressemble pas et pourtant, la partie de moi-même la plus proche de ma véritable essence n'a pas changé. Tant que je m'accrocherai à mon vieux moi et tenterai de le retrouver, tant que je croirai savoir ce que je suis censée être et posséder, et connaître l'image que je suis censée incarner, tant que je rejetterai ce que j'ai en ce moment au profit d'une idée fantaisiste de ce qui me rendra heureuse, je serai désespérée et souffrirai.

Nous pouvons accepter ce que nous sommes ou le rejeter. Ce rejet peut revêtir diverses formes: honte; tentatives intenses d'auto-amélioration; conviction que si nous nous fichions la paix, nous serions portées à nous croiser les bras, à abandonner tout exercice, à porter des bigoudis roses et à manger du chocolat toute la journée en regardant des feuilletons télévisés. Ce rejet peut prendre l'apparence de la détermination, de la volonté, du désir impitoyable de changer. En nous faisant tout un cinéma sur une vie parallèle, nous nous rejetons nous-mêmes, nous rejetons notre vie du moment.

S'accepter, c'est croire que l'on veut connaître la vérité et qu'il existe une partie de soi, l'«essence», qui reconnaît la vérité et s'y accroche. L'essence est la partie de soi que l'on ne peut peser ni mesurer. C'est celle qui demeure présente quand votre corps est atteint du cancer et que vous ne pouvez plus soulever vos enfants, quand vous vous cassez la jambe et ne pouvez plus faire de l'exercice tous les jours, quand vous absorbez une surdose de vitamine A et perdez tous vos cheveux. Quand tout ce à quoi vous vous identifiiez disparaît, il reste encore quelque chose. Un état, une présence. Et c'est ce quelque chose (et la reconnaissance de ce quelque chose) qui est source de paix, de force, de satisfaction et de bonheur.

Je constate que je suis tiraillée entre la confiance en moi et la peur. Entre l'envie de me laisser tranquille et la conviction que si je cesse de me pousser dans le dos, je tomberai dans l'inaction totale.

Depuis que j'ai perdu mes cheveux, je me mène la vie dure, me punis, me dénigre. Je me dis que quiconque possède un peu de cervelle peut faire la différence entre une goutte et un compte-gouttes. Je me dis que mon vrai moi est gros et méchant, et qu'il *mérite* de perdre ses cheveux, de se débattre au fond d'un trou de maladie et de malchance durant ses vingt prochaines vies. Ce rejet profond de moi-même, la cruauté avec laquelle je me traite font que mes pensées s'agglutinent les unes aux autres et que je suis incapable de ressentir autre chose que de la haine à mon égard. L'écart entre l'image que je crois devoir incarner et mon «vrai moi» est si grand que j'en suis réduite à me pousser de plus en plus fort jusqu'à ce qu'un jour j'en aie assez et me lance dans la direction opposée.

Une autre solution consiste à cesser de courir et à me demander ce qui est réel:

Est-il vrai que je suis idiote?

À quel point crois-je l'être?

Et qu'en est-il de la partie de moi qui est égoïste, méchante et grosse? Suis-je vraiment grosse? Méchante? Qu'est-ce qui me pousse à croire cela?

Quel désir inaccessible me donne l'impression que mes besoins sont comme un puits sans fond?

Qu'arriverait-il, selon moi, si je me montrais douce et vulnérable devant la douleur au lieu de me dénigrer parce que je n'ai pas la bonne attitude?

Ma tâche, à l'heure actuelle, ne consiste pas nécessairement à répondre à ces questions, mais à comprendre que ma réaction à la perte et à la douleur ne fait rien pour atténuer ces sentiments; au contraire, elle accentue ma souffrance.

J'observe attentivement les crânes chauves des moines de Tassajara. Je décide que les plis de leurs crânes dénudés me plaisent, que je préfère les crânes ronds aux pointus, que si je perds encore beaucoup de cheveux, je me raserai la tête et verrai, pour la première fois de ma vie adulte, la forme de mon crâne, y passerai la paume, sentirai la douceur, la surface lisse, le contact entre deux peaux roses et nues.

Quand je me surprends à penser que seules les personnes qui ont des cheveux (des corps minces et qui effectuent un travail politiquement et spirituellement correct en échange d'une maigre ou d'aucune rétribution, ou encore qui sont aussi riches et célèbres que Julia Roberts) méritent la gentillesse, je me rappelle que cette voix n'est pas mon amie, n'est pas vraie, n'est pas réelle. Il faut un tas de rappels et beaucoup de temps.

Mais petit à petit, je me surprends, au fil des mois, à me détendre face à la perte de mes cheveux, à caresser doucement les endroits dénudés de mon crâne. Je commence à croire que si mes cheveux ne repoussent jamais, si je suis malade pendant les quarante prochaines années comme je l'ai été depuis trois ans, je me forgerai une nouvelle vie. Je cesserai de vouloir être celle que j'étais avec des cheveux et un corps en santé. Je deviendrai celle que je suis, sans sourcils, sans cils, sans cheveux et avec le quart seulement de son énergie. Mon visage *était* moi — le moi que j'étais quand je possédais mon apparence d'avant. Mon visage est encore moi — moi sans cheveux, avec des taches brun foncé et une peau orange. Ma vie m'appartient encore.

Mais c'est une vie différente, je ne suis pas la même qu'avant.

La vérité, c'est que mon crâne chauve me rappelle que je ne suis jamais assez bonne, ravive mon sentiment d'être gauche, idiote et laide. En vérité, il ne s'est rien passé sauf que j'ai perdu mes cheveux. Il me reste mon travail, mes amis, mon chat, ma vie, moi-même. Rien n'a changé hormis le fait que je ne puis plus prétendre que je m'apprête à mener une de ces vies que seuls méritent les gens à la crinière fournie.

Il y a quelques semaines, Matt m'a suggéré d'appeler mon amie Patricia, qui confectionne des vêtements, des chapeaux et des bijoux. Nous sommes allés chez elle et lui avons acheté deux chapeaux à fleurs pour les jours où je ne veux pas me montrer chauve à l'épicerie. L'un des chapeaux, en velours grenat, s'orne, sur le devant, d'une pivoine de soie vert mousse. L'effet est affriolant, et je suis contente de posséder un chapeau aussi doux et joli pour ma tête qui a subi, depuis la catastrophe de la vitamine A, tant de volontaire rudesse.

Patricia nous sert une croustade aux pêches avec de la glace à la vanille et tandis que je savoure la puissante saveur de la pêche, l'éclair sucré de la cassonade, assise sur son canapé de crépon de coton bleu et blanc, je comprends que je n'aurai pas mieux que cela: être assise sur un canapé de crépon de coton au milieu d'un mardi au milieu de ma vie, sans désirer être ailleurs ni quelqu'un d'autre.

♥

Une année a passé.

Au cours des six derniers mois, mes cheveux ont repoussé, de même que mes sourcils et mes cils. Un concours de circonstances — le travail avec un médecin brillant, des rencontres hebdomadaires avec un maître spirituel et la volonté de travailler sur moi-même — m'a permis de recouvrer la santé. Je fais plus que me porter bien: je me sens vivante et pleine de ressort, mieux que je ne me suis sentie depuis vingt ans.

Mes amies me disent: «Tu as traversé une nuit noire de l'âme et cette noirceur a entraîné ta guérison», mais ce n'est pas aussi simple que cela. S'il est vrai que la perte de mes cheveux a représenté le point le plus bas de trois années de maladie progressive et que les nuits noires sont toujours suivies d'une aube, il n'est pas toujours vrai que la souffrance débouche sur la guérison, la maladie sur la santé, et la terreur sur un sentiment de sécurité.

L'issue d'une situation difficile, décevante ou terrifiante dépend de l'usage qu'on en fait.

La perte de mes cheveux m'a mise dans l'impossibilité de mentir. J'avais passé ma vie à croire que si j'exposais ma vulnérabilité, si je montrais à quiconque qu'il avait le pouvoir de me blesser, je serais anéantie. Cette croyance était, à l'instar de toute croyance, formée de couches superposées. Oui, j'avais laissé Matt entrer dans ma vie; oui, j'avais écrit des livres personnels et révélateurs; et oui, j'avais ouvert mon cœur à des amies proches. Mais au fond, je croyais encore qu'il valait mieux me cacher, qu'en fait, je devais à tout prix dissimuler certaines parties de moi-même. Cette croyance était reliée à une image de moi-même, celle d'une fillette tremblante qui a découvert que ce qu'elle était, sa vérité la plus profonde, était mauvais et honteux, et qu'en se révélant, elle fournissait aux autres des armes qu'ils pouvaient utiliser contre elle. La seule façon pour moi de me sentir en sécurité et de dominer la situation consistait, par conséquent, à me retrancher derrière une fausse gaieté et à me montrer indifférente à la souffrance.

Il ne fait pas de doute qu'une personne qui est prête à effectuer six cent quarante kilomètres pour se faire couper les cheveux est persuadée qu'une chose cruciale dépend de sa bonne apparence. Que si elle n'est pas à son mieux, cela déclenchera une catastrophe. Toute femme disposée à parcourir six cent quarante kilomètres pour se faire couper les cheveux doit être certaine de l'importance, pour sa survie, de détourner l'attention des autres de ce qu'elle croit être.

Sans cheveux, je me sentais déshabillée, nue et écorchée, sans aucune possibilité d'être quoi ou qui que ce soit d'autre. C'était comme si tout ce que j'avais dissimulé pendant quarante ans se précipitait à la surface. Quand on croit, comme je l'ai fait, que l'on ne peut pas être aimé pour ce que l'on est vraiment et que si l'on se montre tel que l'on est, on sera détruit, il est terrifiant de perdre son principal masque, en l'occurrence son apparence physique.

Bien que je sois fort consciente qu'il est normal de traverser une période de désespoir quand on perd ses cheveux, il ne s'agit pas de cela. Il s'agit de savoir ce que ce genre de perte (jambe cassée, maladie, accident, perte soudaine de toutes sortes) provoque en nous. Il s'agit de comprendre que nous avons la chance de voir des parties de nous-mêmes que nous ne choisirions jamais de voir de notre plein gré. Elles sont là en nous, ces images de nous-mêmes, ces convictions profondes, qui agissent à un niveau inconscient et nous empêchent de nous connaître, de vivre le moment présent, de savoir que nous *sommes* une présence. La poétesse Audre Lorde disait qu'aucune souffrance n'est jamais perdue tant qu'on en tire une leçon. Si nous utilisons les situations qui nous sont données comme des occasions de percer les secrets que nous nous cachons à nous-mêmes, chacune de nous peut être un Reynolds Price.

Tout dépend de ce que nous croyons être notre mission dans la vie. Si vivre consiste, pour nous, à acquérir des biens, à faire concorder notre vie avec nos fantasmes, nos pertes ne nous apprendront rien; nulle crise ne nous changera. Nous invectiverons les dieux et nous poserons en victimes infortunées d'événements malencontreux. Par contre, si nous nous interrogeons sur les façons dont nous nous empêchons d'être conscientes, ouvertes et vraies, nos souffrances ne seront jamais inutiles. Les coquilles d'œuf brisées serviront de compost pour les roses.

Maintenant que mes cheveux ont repoussé, c'est-à-dire un an plus tard, je voudrais pouvoir dire que je ne passe plus un seul moment dans la peau de cette fillette tremblante et stupide, mais ce serait mentir. Si je perdais de nouveau mes cheveux, je traverserais encore une période de dépression et de terreur, et je croirais sans doute que je ne mérite pas d'être aimée, mais dès que j'aurais cessé de résister et de m'apitoyer sur mon sort, je pénétrerais de nouveau dans la douleur et dépouillerais une autre couche de ma vieille image de moi-même.

La plupart des femmes ne perdront jamais leurs cheveux. La plupart des gens ne contracteront jamais un cancer ni ne deviendront paraplégiques. Mais tout humain subit des déceptions et des maladies qui ramènent à la surface des images de soi inconscientes et fermement ancrées en lui. Nous sommes sous l'emprise d'une de ces images quand, dans une situation donnée, nous nous sentons totalement mauvaises, indignes, incapables de mériter l'amour des autres, laides et vides. Quand nous nous sentons victimisées, que nous sommes tantôt obsédées par les erreurs de l'autre, tantôt incapables de nous rappeler une seule de nos qualités, c'est le signe qu'une vieille image est réactivée en nous et qu'elle nous empêche de connaître notre essence dans sa totalité.

Peu importe pourquoi vous attrapez un cancer, perdez vos cheveux ou avez un accident de voiture. Ce qui compte, c'est votre attitude dans ces circonstances, la leçon que vous en tirez. L'important, c'est de reprendre votre vie en main. Et puisque vos seuls outils de travail, ce sont ce que vous êtes et ce qui vous est donné, aussi bien les utiliser. Il n'y a rien d'autre à faire si ce n'est vous punir, vous plaindre ou jouer à la victime.

Nous sommes plus que nos cheveux, notre figure, notre corps, nos relations. Mais nous ne le saurons jamais tant que nous ne comprendrons pas les images qui nous empêchent de nous rappeler notre essence véritable. La reconnaissance de ces images contribue à les dissoudre. Et quand elles se dissolvent, nous devenons d'autant plus libres d'être ce que nous sommes dans toute notre vastitude.

Il n'existe pas d'autre récompense. De cela je suis certaine.

CHAPITRE QUATRE

QUAND QUELQU'UN
CROIT EN VOUS

Nous sommes en septembre de l'année 1989 et je marche en direction de l'immeuble où habite Peg. Au moment où je tourne dans la 96e Rue, l'odeur de bœuf qui émane de la gargote située sur le coin me donne brusquement envie d'un hamburger à point, garni de cornichons, de mayonnaise, de moutarde, de laitue et de tomates, et servi sur un petit pain aux graines de sésame. Il y a longtemps que je n'ai pas mangé de viande, mais les hamburgers ont toujours constitué mon mets favori. Je me sentais tellement américaine quand j'en mangeais. Comme si j'appartenais à cette nation.

Je sonne à la porte de Peg, numéro 21G. Au bout d'un long moment, j'entends des coups de canne sur le sol, toc, un pas, toc, un pas, toc, un pas, toc, le bruit d'une chaîne que l'on enlève, une clé qui tourne dans la serrure et la voici, vêtue d'une longue jupe de coton noire et d'une chemise à rayures marron et blanches. Des bijoux massifs aux oreilles et au cou. Peg a l'air plus mince que jamais, comme si la terre la retenait à peine. Les cernes sous ses yeux sont plus sombres que lors de notre dernière rencontre, il y a six mois, et je décèle une certaine lassitude dans ses épaules et ses yeux.

Elle me tend la main.

— Bonjour, ma chère, dit-elle.

Je prends sa main, l'embrasse sur la joue.

— Bonjour, Peg. Vous m'avez manqué. Je suis contente que vous puissiez dîner avec moi ce soir.

— Entre un instant pendant que je vais chercher mon sac.

Dès que je pénètre dans son salon, je me souviens de la raison pour laquelle cette pièce me déplaît. Le volant des rideaux à rayures roses Laura Ashley ne modifie en rien mon sentiment: il y a un vortex au centre de cette pièce qui aspire la lumière des plantes, fleurs, animaux et relations. C'est un espace sombre, humide et froid, et le paquet de cigarettes qui se trouve sur la table est le seul objet qui semble à sa place. Je me dis que la maison que possède Peg dans East Quogue doit être différente, plus claire. Peg y jardine et y cuisine.

— Que dirais-tu de dîner chez Marybeth's Kitchen? me demande-t-elle tout en passant son petit sac noir en bandoulière et en se dirigeant vers la porte à petits coups de canne.

— Pourquoi pas? réponds-je. Je lui emboîte le pas, constate que son sac frappe sa hanche et lui offre de le porter.

— Non, répond-elle d'une voix ferme. Je ne suis pas infirme.

Nous attendons le changement des feux au coin de la rue. Nous sommes au mois de septembre et l'air embaume. Je me trouve à New York pour les vacances juives. Quand le feu vire au vert, nous marchons lentement vers l'autre trottoir qui m'apparaît soudain aussi éloigné qu'un continent. Il nous faut tout le feu vert et une partie du feu rouge pour traverser.

— C'est étonnant, fait remarquer Peg, à quel point même les fichus chauffeurs de taxi sont patients quand on marche avec une canne.

L'hôtesse nous dirige vers une table située dans un coin. Peg appuie sa canne contre le mur derrière moi. Depuis qu'elle est tombée dans un autobus, s'est fêlé la hanche, puis a été congédiée de son travail, elle se sent inutile et s'ennuie. Je l'encourage à offrir ses services à d'autres maisons d'édition, mais elle prétend qu'elle est trop vieille. Que les postes sont attribués à des jeunes de vingt ans. («Ils veulent de jeunes débutants, Geneen, et je ne corresponds pas à cette description.» «Vous êtes la première, soufflé-je, et une éditrice fabuleuse. La meilleure.»)

Je suis outrée de voir qu'elle ne trouve pas d'emploi. J'ai tenté de lui en obtenir un chez mon nouvel éditeur. Il accepte de l'engager comme pigiste, mais comme elle a travaillé chaque jour de sa vie depuis quarante ans, elle souhaite un emploi à temps plein. Je voudrais qu'elle ait des piles de manuscrits à son chevet, quelque chose qui occuperait son esprit fougueux.

Peg commande du saumon nappé d'une sauce ailloli. Moi, une salade César et des linguinis aux légumes. Elle me parle d'un ami qui écrit des contes pour enfants. Son collier de perles de cristal hexagonales projette un arc-en-ciel sur le mur de stuc. En la voyant assise là en train de gesticuler, je l'aime plus que je n'ai jamais aimé quiconque. Elle n'oublie jamais rien de ce que je lui dis: les noms de mes amis, combien pèse mon chat Blanche, la querelle que j'ai eue avec mon père la semaine dernière.

Il commence à faire noir et un serveur en boléro vient allumer trois petites chandelles qui se trouvent sur notre table. La canne de Peg n'arrête pas de tomber par terre à grand fracas. Je la ramasse, l'appuie en l'inclinant et tourne la tête pour voir le visage de mon amie.

— Peg?

— Oui?

— Y a-t-il quelque chose que je puisse faire pour vous, n'importe quoi?

— Continue d'écrire, Geneen. Écoute Tante Peg.

— Non, je veux dire, *pour vous*. Que puis-je faire *pour vous*...

— Tu le fais déjà. Tu es là, tu me parles, tu es avec moi. Tu m'envoies tes manuscrits pour que je les lise. J'ai besoin de travailler.

— Et la douleur, Peg?

— Écoute-moi bien, ne me parle pas comme tu parles aux femmes qui participent à tes ateliers. Ma douleur ne regarde que moi. Je suis une thérapie depuis des milliers d'années et je fais de mon mieux.

J'inspire profondément, me demandant si j'ai le courage de dire ce que je vois, ce que je crois. Me dis que comme je n'ai rien à perdre, aussi bien parler tout haut.

— Quand je vous vois boire et fumer comme ça, j'ai l'impression que vous voulez mourir.

— Foutaises! Qui a parlé de mourir?

— Moi. Vous y mettez tellement d'énergie. Pourquoi refusez-vous d'en parler?

— Des tas de gens boivent et fument sans vouloir mourir pour autant. Cesse de croire à ta grandiose intuition. J'apprécie que tu te fasses du souci à mon sujet, mais je t'en prie, garde tes analyses pour tes livres. C'est ta compagnie que je veux.

Je soupire. J'avais l'impression que cette conversation ne menait nulle part, mais je suis quand même contente d'avoir mis le sujet sur le tapis.

— Je veux juste que vous sachiez que je vous aime et que je ferais n'importe quoi pour vous.

— Et je t'aime aussi.

Je prends un bâtonnet à la farine de maïs, l'enduis de beurre à la fraise.

— Nous en avons fait du chemin depuis notre première rencontre il y a huit ans... Vous ai-je jamais dit que je m'étais rasé les jambes avant de vous rencontrer?

— Rasé les jambes? Peg roule les yeux. Non, tu n'as jamais mentionné cela.

— Eh bien! n'êtes-vous pas curieuse de connaître le lien entre le rasage de mes jambes et vous?

— J'ai bien l'impression que tu vas me raconter toute l'affaire.

Dès que je compris que Margaret B. Parkinson, éditrice principale chez Bobbs-Merrill, m'accordait un rendez-vous d'un quart d'heure, je courus me raser les jambes afin de pouvoir porter des bas pour la première fois en huit ans. À Santa Cruz, où je vivais, les femmes ne se rasaient pas les jambes ni les aisselles. Puisque les hommes ne se les rasaient pas, il n'y avait pas de raison pour que les femmes le fassent.

Or, ma mère m'ayant fait remarquer que les poils de mes jambes étaient si longs que j'aurais pu les tresser, je décidai que je ferais meilleure impression en les rasant. Je m'achetai une jupe bleu marine et empruntai à un ami une mallette avec un cadenas dont le numéro était 0-0-0. J'y glissai un Labello, une brosse à cheveux et quinze dollars.

Deux mois avant notre rencontre, j'avais expédié une lettre de quatre pages aux éditeurs de trente maisons new-yorkaises. J'y expliquais pourquoi je pensais qu'une anthologie sur la compulsion à manger était originale; pourquoi je me jugeais capable de l'écrire; pourquoi le public avait besoin de ce livre maintenant; pourquoi l'éditeur devait lire mon manuscrit dès que possible. Au cours des trois semaines subséquentes, je reçus vingt-neuf lettres de rejet: Désolé, votre manuscrit ne nous intéresse pas; désolé, votre manuscrit ne nous convient pas, désolé. Je me rappelai ce que mon professeur de rédaction nous avait dit au sujet des rejets: «Tapissez-en les murs de votre salle de bain, ne vous sentez pas personnellement visé, continuez d'expédier vos manuscrits aux éditeurs.» La réaction de mon père, lorsqu'il eut vent de mon projet, me revint aussi en mémoire: «Qu'est-ce qui te fait penser que tu es différente des milliers d'écrivains affamés qui essaient pendant des années de faire publier leurs œuvres? Sais-tu, avait-il ajouté, que Charles Dickens a aussi essuyé un refus après avoir expédié ses œuvres sous un pseudonyme? Oublie ce métier, me conseilla-t-il. Fais des études d'avocat.»

Un mardi du mois de mars, je reçus une lettre d'une éditrice de la maison Bobbs-Merrill: «Chère madame Roth, j'ai trouvé votre idée plutôt intéressante. Veuillez m'expédier votre manuscrit. Margaret B. Parkinson, éditrice principale.»

Une fois apaisé mon sentiment d'euphorie, je me rappelai un détail primordial: dans ma lettre, j'avais affirmé posséder un manuscrit, mais ce n'était pas le cas. J'avais un projet — celui de produire une anthologie écrite par des femmes sur la faim, la satisfaction, la privation volontaire de nourriture, les crises de boulimie, la façon de se libérer de la compulsion à manger. Depuis trois ans, je recueillais des nouvelles, des poèmes et des articles de magazines. Mais tout cela se résumait à trois cents chemises contenant les noms des auteurs, les titres de leurs œuvres et des titres de chapitre possibles. Mentir n'était sans doute pas la meilleure façon de nouer une relation avec un éditeur. Toutefois, forte du soutien de mon groupe de rédaction, je téléphonai au bureau de Peg avant mon voyage annuel de Pâques à New York et m'entendis avec sa secrétaire, Mercedes, pour obtenir un rendez-vous d'un quart d'heure.

Devenir écrivain était un rêve insensé. J'avais entendu l'histoire de Charles Dickens de la bouche de mon amie Elisabeth, de ma tante Rose et de la femme qui vendait des lis péruviens de l'autre côté de la rue, en face de la boulangerie. Chaque fois qu'on me la racontait, le nom de l'écrivain changeait. Jusqu'ici Ernest Hemingway, Leon Tolstoï et William Faulkner n'auraient jamais été publiés s'ils avaient vécu aujourd'hui, aussi pourquoi ne pas m'épargner cette anxiété? Même Sara, ma meilleure amie, m'avait regardée d'un air soupçonneux quand je lui avais confié que j'écrivais un livre. «Toi et combien d'autres?» avait-elle dit.

Mais aucun autre métier ne me tentait. J'avais déjà été astrologue, chimiste, domestique, plongeuse, conseillère dans un service de prévention du suicide et d'assistance d'urgence. J'avais été vendeuse dans une galerie d'art, animatrice de groupes de rencontre, standardiste, serveuse, monitrice de garderie éducative, confectionneuse de sandwich à l'avocat et au fromage dans un magasin d'aliments naturels de mon quartier. J'avais pris ces emplois par nécessité, parce que j'avais besoin d'argent. Mais je tapais constamment du pied, le regard rivé sur l'horloge, en proie à un sentiment d'échec parce que je savais que je pourrais me livrer à une activité qui nouerait des rubans violets à mon cœur. Mon insolence me valut d'être congédiée d'un emploi, je quittai les autres par ennui. Quand, à vingt-huit ans, je m'accordai six mois de congé entre deux emplois, je me dis que j'étais libre de faire ce que je voulais, aussi peu pratique que cela paraisse. Un canasson gris portant le nom Écriture sortit en galopant de mes rêves d'enfant.

En cinquième année, notre professeur nous avait assigné, comme premier devoir, de raconter une histoire au caractère magique. Je m'installai sur mon lit ce soir-là avec deux feuilles de papier et l'encyclopédie du monde et me mis à l'ouvrage. Une histoire s'envola. J'écrivais aussi vite que possible sur la couverture bosselée du livre rouge, dépeignant avec minutie les images qui défilaient derrière mes yeux. Une fillette du nom de Lucille prend l'avion. Or, toutes les hôtesses de l'air tombent malades et les passagers sont plongés dans le désarroi. Un désordre indescriptible règne dans les cabines jusqu'à ce que Lucille et son chien, Fido, décident de prendre les choses en main. Ensemble, ils servent les repas, rassurent les vieillards, jouent avec les enfants. Ils deviennent des héros nationaux et reçoivent chacun une médaille d'honneur.

Le lendemain, en lisant mon histoire en classe, je m'évadai de mes préoccupations habituelles: les querelles de mes parents, mon anxiété quant à l'issue de leur relation, mes grosses cuisses. Pendant quelques minutes, peu m'importait ce que Robert ou Richard pensaient de moi. J'avais créé quelque chose qui n'existait pas la veille, à partir d'un espace qui n'appartenait à personne d'autre qu'à moi-même. Je me mis à tenir un journal, à composer de la poésie et des nouvelles. Je ne montrais jamais mes écrits à personne. J'avais si peur que l'on m'empêche d'écrire que je le faisais en secret dans des carnets dotés d'une serrure et d'une clé et cachais mes poèmes au milieu de mes chaussettes dans ma commode.

Quand j'atteignis l'âge de vingt-huit ans, j'avais rédigé vingt carnets intimes, un manuscrit que j'avais élaboré au moment de l'assassinat de John Kennedy et des poèmes sur les perruches, les cœurs brisés et le divorce. L'idée d'être publiée, de franchir la distance qui séparait mon tiroir à chaussettes d'une librairie m'était inconcevable. Puis, je m'inscrivis à un atelier de rédaction où l'on m'encouragea à aller voir l'éditrice principale de Bobbs-Merrill.

Margaret B. Parkinson était assise à son bureau et me tendait la main. Bonjour, Geneen, je suis Peg Parkinson. Asseyez-vous. Je remarquai sa maigreur ainsi que la sculpture souple d'un mètre de long en forme de crayon qui pendait au-dessus de son bureau. Je m'assis et me rappelai de respirer.

Je m'obligeai à la regarder, à la regarder vraiment. Elle portait un pull bleu marine à encolure en V et un gros collier de cuivre. Sa main s'ornait d'une bague ancienne formée de deux diamants taillés en émeraude et sertis dans un S en platine. Ses cheveux courts, gris et châtains, ondulaient souplement autour de son visage buriné. Les rides profondes qui marquaient ses yeux, son front, les commissures et le dessus de ses lèvres révélaient la rude vie qui avait été la sienne. Mais son regard était amusé en dépit d'une attitude qui se voulait hautement professionnelle.

— Parlez-moi de votre livre, me dit-elle tout en prenant une cigarette qui brûlait dans le cendrier.

Les volutes de fumée formaient un cercle souple et bleu entre nous. Je sus tout à coup qu'elle était bonne — de par sa façon de me regarder, sa posture, la manière dont elle tenait sa cigarette, l'amusement que je lisais dans ses yeux — et s'intéressait sincèrement à ce que j'étais et faisais. Je n'avais pas préparé de discours. J'ouvris la bouche et laissai le brouillard bleu qui flottait entre nous absorber mes paroles. Je lui parlai des femmes de mes ateliers, de mon propre combat contre la nourriture, du fait que personne n'avait encore écrit sur la compulsion à manger en se plaçant du point de vue du mangeur.

Elle écrasa sa cigarette dans le cendrier vert et se pencha vers moi.

— J'adore votre idée, dit-elle, mais les anthologies ne se vendent pas bien. Le lecteur a besoin de s'identifier à une seule voix dans tout le livre. Vous devrez donc en écrire au moins la moitié. Vous devrez préfacer tous les chapitres et y insérer des textes de votre cru. Il faut que ce soit votre livre; la lectrice doit sentir qu'elle vous connaît vous, votre combat contre la nourriture et vos triomphes.

Je hochai la tête, muette. Je me gardai d'avouer que j'avais prévu n'inclure qu'un seul de mes poèmes dans le livre et rédiger le prologue, tout comme mon professeur de rédaction l'avait fait dans sa propre anthologie. Ce livre était ma façon à moi de me mouiller les pieds dans le monde de l'édition, et non une occasion d'y plonger la tête la première. Sa suggestion m'électrisa un peu plus qu'elle me terrifia.

— Savez-vous, poursuivit Peg, combien de temps il faut pour publier un livre une fois qu'il est accepté?

Je secouai la tête en signe de dénégation.

— À peu près autant qu'une grossesse, neuf mois. Dès que vous m'aurez remis votre manuscrit, je devrai le corriger, le revoir avec vous et l'envoyer à la correction, au montage, à la composition et ainsi de suite. Donc quand pourrai-je le voir?

Mon cœur battait à tout rompre et la soie blanche du chemisier de ma mère collait à mon dos. J'affirmai que je rentrerais chez moi, rédigerais les préfaces des chapitres et lui enverrais une première tranche du manuscrit dans deux semaines.

— Ne temporisez pas, Geneen, me dit-elle en se levant. Votre idée est fabuleuse et si vous ne la mettez pas à exécution, quelqu'un d'autre le fera.

— Ne vous inquiétez pas, répondis-je. Désormais, j'avais l'impression d'avoir pénétré dans la vie d'une autre personne, qui avait l'habitude d'assister à ce genre de rencontre dans des endroits comme celui-ci avec des gens comme Peg. Une personne aux reparties spirituelles, brillantes, littéraires.

— C'est un magnifique crayon, articulai-je enfin, en indiquant la sculpture souple qui pendait au-dessus de son bureau.

— Merci, dit-elle. C'est un cadeau d'un ami et l'un de mes biens les plus chers. Il me rappelle que les éditeurs ont besoin d'auteurs. Il nous arrive de nous prendre trop au sérieux, de nous sentir très importants et de vous traiter vous, les auteurs, comme si vous ne l'étiez pas, mais vous l'êtes. Rappelez-vous-en et envoyez-moi votre livre bientôt.

De retour en Californie, je m'assis à la table de la cuisine et tentai d'écrire.

Rien.

Je me dis que je pouvais écrire malgré tout, laisser courir mon crayon et qu'il était correct d'écrire «Je ne sais pas quoi écrire» cent fois. Mais au bout de quelques heures, j'ouvrais le réfrigérateur, mangeais du gâteau congelé, regardais les callas par la fenêtre et décidais que cela irait mieux le lendemain. Je me trompais. Chaque jour, je me levais avec la ferme résolution d'amorcer la préface du premier chapitre et chaque jour, je passais trois ou quatre heures à attendre vainement l'inspiration.

Peg téléphona deux semaines après notre rencontre.

— Eh bien, Geneen? Comment ça va?

— Bien. Les préfaces avancent très bien.

— Bravo. Ce sera un livre important. Appelez-moi si vous avez besoin d'aide ou de renseignements.

— Merci, Peg, je le ferai.

Je n'arrivais pas à croire qu'elle m'avait téléphoné, qu'elle se souciait de mon livre. Je n'arrivais pas à croire que j'étais incapable d'écrire. J'avais écrit chaque jour depuis trois ans. Je possédais une pile de poèmes, deux nouvelles, un texte qui allait être publié dans une anthologie, un poème qui devait paraître dans un journal. Je n'avais jamais affronté de blocage. Et maintenant qu'un éditeur s'intéressait vraiment à moi, mon inspiration s'était tarie.

Peg téléphonait sans arrêt. Toutes les deux semaines, elle s'informait de mes progrès et toutes les deux semaines, je lui répondais tout va bien. Je ne voulais pas qu'elle perde espoir, qu'elle cesse de croire en moi ou en mon livre.

Au bout de deux mois où je n'avais toujours rien écrit, je rédigeai la lettre ci-dessous:

Chère Peg,

Je vous remercie du fond du cœur de l'intérêt que vous portez à mon livre. Je ne saurais vous dire à quel point il est important pour moi que vous ayez foi en mon projet. Je ne pensais pas que les éditeurs s'intéressaient d'aussi près aux auteurs et de vous sentir aussi présente m'a beaucoup encouragée.

Je dois cependant vous faire un aveu: je vous ai menti depuis mon retour de New York. Je n'ai pas écrit un seul mot et, pour une raison ou une autre, je suis incapable d'écrire. Je suppose que c'est la perspective d'être publiée qui me terrifie outre mesure. Quoi qu'il en soit, j'ai honte de vous avoir menti. Quand j'ai écrit aux éditeurs pour leur exposer mon projet, je ne croyais pas que quelqu'un s'y intéresserait et maintenant que vous me manifestez de l'intérêt, on dirait que je suis incapable de m'atteler à la tâche avec confiance ou dignité même. Je pensais que je voulais être auteur, mais je me trompais. Je vous prie donc d'accepter mes sincères excuses. Je renonce à mon projet d'écriture et poursuivrai ma vie sans écrire. Vous avez été merveilleuse. C'est une chance pour un auteur de vous avoir comme éditrice.

Je marchai jusqu'au bureau de poste, ouvris la boîte bleue, y jetai ma lettre, la refermai et éclatai en sanglots. Je n'avais pas ce qu'il fallait pour devenir écrivain. Je ne connaissais pas de mots poétiques et ignorais comment les assembler de manière créative. Je n'arrivais même pas à me rappeler le sens du mot *intermittent*. (La signification de certains mots simples m'échappait.) Je n'avais pas la tête farcie d'histoires qu'il me suffisait d'exprimer. Et j'étais incapable de travailler sous pression. Peut-être qu'au fond, je souhaitais devenir écrivain parce que je n'arrivais à conserver aucun emploi. Je l'ignorais. Tout ce que je savais, c'est que je ne voulais plus m'asseoir à la table de la cuisine pour manger du gâteau congelé en prétendant qu'une histoire originale était tapie dans mon cerveau et mon cœur, et que si je persévérais, elle se déverserait sur la feuille de papier qui se trouvait devant moi.

Cinq jours après que j'eus posté ma lettre, Peg me téléphona. Quand j'entendis sa voix, je crus qu'elle allait m'insulter parce que je lui avais menti.

— Bonjour, Geneen, ici Peg.

— Peg? Oh mon Dieu! Je ne m'attendais pas à votre coup de téléphone. Vous devez être furieuse contre moi.

— Geneen, je ne renonce pas à votre projet.

— Quoi?

— Je sais que vous devez avoir très peur pour écrire une lettre comme celle-là, mais je crois en vous et je crois en votre livre. Je crois en votre talent. Je sais que vous pouvez écrire un livre formidable que les lecteurs dévoreront.

— Peg...

— Il n'y a pas de Peg qui tienne. Je sais que j'ai raison. Et je sais que quand vous serez prête à l'écrire, vous l'écrirez. Voici mon numéro à la maison. Vous avez déjà celui de mon bureau. Vous pouvez m'appeler à frais virés le jour ou la nuit si vous avez besoin d'aide. Et envoyez-moi votre livre quand vous l'aurez terminé. Vous pouvez le faire. Détendez-vous et écrivez à votre propre rythme.

J'entendis un déclic suivi de la tonalité. Combiné en main, je demeurai assise, pétrifiée. Elle n'était pas en colère. Elle pensait que je pouvais l'écrire. Elle croyait en moi. Je reposai le combiné et regardai fixement par la fenêtre. Je compris sur-le-champ que son appel m'avait libérée. J'avais eu besoin de savoir que son intérêt ne me priverait pas de la seule chose au monde que je possédais: mes mots, mes pensées. J'avais besoin de savoir que si j'écrivais le livre, ce serait pour moi et non pour elle. Je m'installai à ma table le lendemain et me mis à écrire. Six semaines plus tard, je marchai jusqu'au bureau de poste, ouvris la boîte bleue et y déposai le manuscrit en entier. Puis je rentrai chez moi et appelai Peg.

— Eh bien! ma petite chérie, comment allez-vous?

— Bien. J'appelle pour vous communiquer une nouvelle excitante.

— De quoi peut-il bien s'agir?

— Je viens de poster mon manuscrit. Vous devriez le recevoir dans quelques jours.

— N'ai-je pas déjà entendu cela quelque part?

— Honnêtement, Peg. Je vous dis la vérité.

— Je le croirai quand je le verrai.

Nous enchaînâmes sur l'été à New York, chaud et horrible; Peg me parla de son jardin à East Quogue, des roses qu'elle avait plantées et du chèvrefeuille en boutons sur son patio. Elle ne croyait pas que j'avais envoyé mon manuscrit, mais sachant que je l'avais fait, je pouvais me permettre de rire de la situation. Je la taquinai sur son incrédulité; elle plaisanta en m'accusant de crier au loup.

Cinq jours plus tard, elle téléphona de nouveau.

— Je l'adore.

— Peg?

— J'ai passé la nuit à lire et tout ce que je peux dire, c'est que chaque fois qu'un de vos textes se terminait, je n'étais pas rassasiée. Je veux encore du Geneen Roth. C'est un excellent auteur.

— Vous le pensez vraiment?

— Je n'ai pas tendance à exagérer. Vous avez écrit un bon livre, Geneen.

— Merci. Et merci d'avoir cru en moi, Peg.

Elle tira sur sa cigarette.

— Ah! ne devenez pas sentimentale à présent, c'est vous qui avez écrit ce livre.

— Ouais, mais c'est vous qui êtes restée dans les coulisses pour m'encourager.

— Suffit maintenant. Quand pouvez-vous venir à New York?

♥

Un mois plus tard, je pénétrais dans les bureaux de Bobbs-Merrill, à l'angle de la 57e Rue et de la 5e Avenue. J'avais intitulé mon livre «Y a-t-il une vie après le chocolat?» D'entrée de jeu, je vis que la réceptionniste portait un macaron en forme d'éléphant bleu qui disait: «La situation se corse. Prière d'envoyer du chocolat.» Lorsqu'elle téléphona à Peg pour lui annoncer mon arrivée, Mercedes arborait, elle aussi, le même macaron. Elle me conduisit au bureau de Peg où j'aperçus le macaron sur le crayon rembourré ainsi qu'un bol rempli de chocolats. Peg était assise à son bureau et lisait un manuscrit. Elle portait un cardigan gris perle et un chemisier blanc, et de grandes boucles d'oreilles en forme de triangles dorés mettaient en valeur son visage long et mince. Une cigarette fumait dans le cendrier vert. En me voyant, elle m'adressa un sourire rapide et de guingois, et rejeta les macarons d'un geste de la main, comme pour dire que n'importe quel cadre pouvait obliger son personnel à porter des macarons sur le chocolat avec un éléphant. Elle se leva et me tendit la main.

— Comment va notre auteur en herbe aujourd'hui?

— Excitée.

— A-t-elle faim aussi?

Nous descendîmes la 57e Rue jusqu'à un restaurant indien. À l'intérieur, il faisait sombre et une odeur de safran flottait dans l'air. Les clients portaient des complets gris et des cravates rouges à pois et parlaient à voix basse. On entendait jouer du sitar et j'avais l'impression de jouer dans un film. Je commandai un cari de légumes et un nan à l'oignon. Peg opta pour le poulet tandoori et une demi-bouteille de champagne. Nous portâmes un toast.

— Nous voulons acheter votre manuscrit et le publier l'automne prochain, dit-elle.

Je poussai un cri aigu, puis tentai de paraître raffinée, respectable.

— C'est merveilleux, Peg. Je suis tellement heureuse que mon livre vous plaise.

Elle me parla de l'apprêt, du travail éditorial, de la conception de la jaquette, de la conférence sur les ventes, de la force de vente qui vendrait le livre aux librairies. Un cartomancien vêtu d'un caftan bleu plissé et la tête couverte d'un turban doré se dirigea vers notre table et nous offrit de nous lire l'avenir. Peg fit signe que oui puis me dit: «Pourquoi ne pas laisser le gentleman que voici vous dire combien riche et célèbre vous êtes sur le point de devenir?»

L'homme tira une chaise et s'assit à côté de moi. Il prit ma paume dans sa main et dit: «Vous vous apprêtez à vous lancer dans une aventure merveilleuse», ce à quoi Peg rétorqua: «Ouais et c'est nous qui allons en faire les frais.»

J'émis un rire bruyant et nerveux qui fit se retourner les cravates à pois tandis que le voyant se dirigeait vers une autre table. J'aurais voulu faire un commentaire brillant, mais ne pouvais penser à rien hormis les questions habituelles sur les autres livres que Peg avait édités, les maisons où elle avait travaillé avant. Je voulais qu'elle soit contente d'avoir accepté mon livre, qu'elle me croie intelligente. Je n'avais jamais connu personne comme elle. Elle employait des termes comme erratique et rutilant. Elle citait Shakespeare et E.M. Forster* (si la nourriture est la musique de l'amour, jouez toujours**...), assistait à des concerts de musique de chambre et appartenait au genre de New-Yorkais qui n'avait jamais mis les pieds en Californie et n'en avait jamais éprouvé la moindre envie. Pour Peg, la Californie était remplie de gens qui mangeaient du muesli, portaient des Birkenstocks et baptisaient leurs enfants Arc-en-ciel et Montagne. (Promets-moi, me dit-elle des années plus tard, que tu n'appelleras pas tes enfants Rocher ou Coucher de soleil. Pas de phénomène naturel.)

De retour à son bureau, Peg affirma qu'elle resterait en contact avec moi, qu'elle aurait une version révisée du manuscrit dans environ trois semaines et que nous la repasserions ensemble. Elle déclara que ce livre serait le premier d'une longue lignée de livres que j'écrirais. Elle m'appelait son agneau.

— Je suis sur le point, Dieu me pardonne, de faire un geste que l'on fait en Californie, dit-elle. Et elle me prit dans ses bras pour me dire au revoir.

Deux semaines après mon retour chez moi, je reçus un coup de téléphone.

---

* Romancier et critique anglais né à Londres en 1879. Il publia, entre autres, *Route des Indes, Une chambre d'où l'on voit* et *Howards End,* toutes œuvres qui furent portées à l'écran. *(N.d.T.)*

** Inspiré de «Si la musique est l'aliment de l'amour, jouez toujours...», *La nuit des rois,* Shakespeare. *(N.d.T.)*

— Geneen? Ici Peg...

Elle n'arrivait pas à articuler, comme si les mots s'agglutinaient les uns aux autres sans qu'elle puisse les décoller.

— Bonjour, Peg, dis-je d'un ton hésitant.

— J'ai quelque chose à vous dire, Geneen, une chose qui me désole terriblement.

On aurait dit qu'elle était au bord des larmes et je songeai, ça y est, elle a décidé que mon livre ne lui plaisait pas après tout, toute l'histoire est une gigantesque méprise et elle reprend sa parole. Je le savais, je le savais.

— Je suis une alcoolique, Geneen, et j'étais ivre le jour où nous avons déjeuné ensemble. Je n'aurais pas dû faire cela, j'aurais dû vous le dire. Je suis vraiment désolée.

Je demeurai silencieuse. J'ignorais quoi dire. «Ne vous inquiétez pas, Peg, tout va bien» ou «Cela veut-il dire que vous n'aimez pas mon livre?» ou «Quel effet cela a-t-il sur vous, vos relations, votre travail?» ou «Vous n'aviez pas l'air éméchée, en êtes-vous bien sûre?» J'ignorais pourquoi elle me faisait cet aveu et ce qu'elle voulait de moi. Soudain, je sus pourquoi elle s'intéressait tant à mon travail: il portait sur un sujet qu'elle connaissait bien — la sirène de la dépendance.

— Êtes-vous ivre en ce moment, Peg?

— Oui.

Ce fut là le début d'une longue série de conversations avinées. J'ignorais alors que cela ne servait à rien de lui parler, qu'elle ne se souviendrait de rien, que ses mots dépassaient sa pensée. Nous raccrochâmes et j'eus honte de moi. Honte de mes rêves de grandeur. Honte d'avoir pensé qu'une personne sobre pouvait croire que j'avais quelque chose à dire.

Deux jours plus tard, elle téléphona de nouveau.

— Je suis alcoolique, dit-elle, mais j'y travaille et je n'aurais pas dû vous appeler. Parfois, la douleur est trop grande. Je connais parfaitement le handicap que constitue l'alcoolisme, aussi je vous prie de garder vos sermons pour vous.

— D'accord, pas de sermon.

— Ai-je dit des choses affreuses? demanda-t-elle.

— Non, rien d'affreux. Vous avez dit putain de merde à quelques reprises. Vous m'avez parlé d'une sans-abri qui vit non loin de chez vous. Vous avez parlé de l'Afrique du Sud et vous avez dit putain de merde encore quelques fois. C'est à peu près tout.

— Eh bien! oublions cet incident regrettable et passons à un sujet plus gai: votre livre.

Nous parlâmes de certains poèmes qui, selon elle, ne devaient pas figurer dans le livre.

— Je veux que ce livre soit à la portée de tout le monde, déclara-t-elle, et, bien que j'adore la poésie, je veux que votre livre se lise comme un roman, qu'on soit incapable de le refermer, que l'on ait envie de passer la nuit à le lire. Mais si vous y tenez, je m'en remets à vous. C'est votre livre et vous devriez toujours avoir le dernier mot.

Je n'y tenais pas. Au cours des dix années où je travaillai avec Peg, je me trouvai une seule fois en désaccord avec elle: lorsqu'elle affirma que le mot haine était trop fort pour exprimer le sentiment des mangeuses compulsives à propos d'elles-mêmes. Je répondis qu'il était trop mièvre et qu'il n'existait pas de mot assez puissant pour décrire ce sentiment.

♥

Lorsque *Feeding the Hungry Heart* eut été trois mois en librairie, Peg m'appela pour me dire qu'il était temps que j'écrive mon deuxième livre. Je ne suis pas prête, lui dis-je. J'ai besoin d'un congé; il faut que je trouve mon propre rythme encore une fois. Elle me dit qu'il fallait que je me grouille les fesses.

— Publier un livre est un coup de veine extraordinaire. Mais quand on écrit deux livres, les gens vous prennent au sérieux.

Je répondis que je me fichais que l'on me prenne au sérieux. Je savais que j'étais sérieuse. Elle promit de rappeler une semaine plus tard.

Sept jours après exactement, elle me téléphona pour me demander si j'avais changé d'avis. Étais-je prête à écrire un autre livre? Bien sûr que non, répondis-je. Et de toute façon, sur quoi devais-je écrire selon elle? La compulsion à manger, fut sa réponse. Vous devez faire savoir aux gens qu'ils peuvent s'en sortir. *Feeding the Hungry Heart* était descriptif. Maintenant, vous devez écrire un livre normatif. Vous devez dire aux gens qu'il existe une solution. Et ma poésie? demandai-je. Quoi, votre poésie? dit-elle. Vous y reviendrez après avoir publié deux livres. Non, dis-je, et c'est définitif. Je ne veux pas me répéter. Je vous rappellerai dans une semaine, répondit Peg.

Sept jours et deux heures plus tard, elle téléphona. Geneen, dit-elle, cessez de faire l'imbécile. Je sais que vous ne voulez pas être coincée dans le créneau de la compulsion à manger pour le reste de votre vie, mais ce que vous avez fait n'est vraiment pas juste. Vous avez une responsabilité sociale envers les femmes dont vous avez touché la vie. Est-ce qu'écrire un autre livre serait vraiment si exigeant pour vous? Vous pourriez y consacrer un an et votre tâche serait accomplie. En outre, avez-vous un sujet précis sur lequel vous voulez écrire en ce moment? Alors pourquoi ne pas écrire ce livre entre-temps? Les auteurs écrivent, Geneen. Et c'est une activité qui en vaut une autre.

Je vais y penser, lui dis-je.

Bien, je vous appellerai dans une semaine.

Mon amie Jill vint prendre le thé le lendemain. Je lui parlai des appels de Peg en disant que je n'étais pas prête à entreprendre la rédaction d'un autre livre aussi vite. Je ne voulais pas que l'on me commande un livre. Je voulais réfléchir à mon sujet et le laisser évoluer avec le temps, comme je l'avais fait pour mon précédent livre.

Elle fronça les sourcils. «La chapelle Sixtine a été commandée à Michel-Ange», me fit-elle observer avant de prendre une gorgée de thé au jasmin.

Cette remarque occupa toutes mes pensées au cours des jours qui suivirent. Je savais que Peg avait raison au sujet du livre normatif: je n'avais pas donné d'indications précises sur la façon de s'affranchir de l'obsession alimentaire. Ce sujet me passionnait et j'avais plus à dire, beaucoup plus. Mais je voulais être un vrai auteur; je voulais que ma vie concorde avec les images que j'avais dans la tête. Des images de l'auteur angoissé qui fume des cigarettes et boit du scotch. Délaissée, j'errerais dans un brouillard de fumée de cigarette tout en alignant des mots avec effort sur une petite machine à écrire noire. Des écrivains masculins hantaient mes rêves: Fitzgerald, Carver, Hemingway. L'autodestruction, le drame, le grand art tandis que les femmes de leur vie passaient tout à fait inaperçues ou sombraient dans la folie.

À la fin, je choisis de croire Peg, parce qu'elle croyait en moi. Si je doutais de son opinion quant à la sorte de livre que je devais écrire, il me faudrait douter de tout — de l'importance de ce que j'avais à dire. C'est ainsi que je me mis à aligner des mots avec effort sur ma machine à écrire grise Olympia tandis qu'elle errait dans un brouillard de fumée de cigarette et d'alcool.

Quand je lui remis les quatre premiers chapitres de mon livre lors de ma visite suivante à New York, elle téléphona à ma chambre d'hôtel trois heures plus tard et laissa le message suivant: «Ton manuscrit est assez bon pour qu'on ait envie de le manger.»

Des mois passèrent au cours desquels nous nous téléphonions chaque semaine ou presque. Peg me parlait de sa maison de East Quogue, de son jardin, de sa chatte. Puis, elle me laissait sans nouvelles pendant quelques semaines et c'est moi qui téléphonais. Le téléphone sonnait trois, quatre, cinq fois. Elle répondait: «Alllllôôôôô?» et j'entendais la langue pâteuse, le ton larmoyant. Je la suppliais de cesser de boire, l'invitais à venir vivre avec moi pendant un mois pour se désintoxiquer. Je lui envoyais des fleurs, des renseignements sur les A.A., des dépliants sur les groupes d'aide au sevrage tabagique. Un jour qu'elle était sobre, Peg, après les salutations initiales, m'expliqua que son médecin lui avait enjoint de cesser de fumer car elle souffrait d'emphysème.

— Vous êtes en train de vous tuer, Peg, lui dis-je.

— Oh! cessez votre mélodrame. Je sais que je devrais cesser de fumer et j'ai diminué. De plus, je ne supporte pas ces réunions des A.A. où tout le monde s'attendrit sur tout le monde. J'ai l'intention de prendre de l'Anabuse*, je m'en occupe, ne vous inquiétez pas, Geneen. Plongez-vous dans la rédaction de votre livre. C'est la seule chose dont vous deviez vous soucier. Je suis une grande fille. Je peux prendre soin de moi-même.

— Oui, mais pourquoi une personne qui souffre d'emphysème fumerait-elle à moins de vouloir se suicider?

— Parce qu'elle aime le goût de la cigarette. Comme quelqu'un de ma connaissance aime le goût du chocolat...

— Le chocolat ne me tue pas.

— C'est pourquoi je veux que vous écriviez ce livre. Pour pouvoir dire aux femmes qui sont vraiment en train de se tuer à manger du chocolat comment cesser de le faire.

Quand je lui téléphonai pour lui annoncer que le manuscrit était en route, elle était pompette. Elle me dit de foutre le camp, puis me parla de la sans-abri qui vivait non loin de chez elle.

— Elle n'a nulle part où dormir. Elle n'a pas d'argent, dit-elle en pleurant. Je dois lui en donner. Elle n'a rien à manger. Je dois lui en donner, je dois lui en donner...

— Avez-vous des boissons alcooliques dans la maison en ce moment, Peg? Est-ce que vous continuez de boire? lui demandai-je.

— Sous mon lit. Mais vous ne comprenez pas. Elle n'a rien. Je dois lui donner de l'argent.

— Peg, je vous rappellerai demain.

Je raccrochai et appelai son amie Annie. Je lui expliquai que Peg avait besoin d'aide. Pouvait-elle passer chez elle? J'étais en

---

* Médicament qui provoque des malaises lorsqu'il est pris en conjonction avec de l'alcool. (N.d.T.)

rogne contre Peg et j'avais honte de l'être. Je n'arrivais pas à croire que c'était elle qui était responsable de mon livre. J'avais envie de prendre l'avion pour New York, de lui botter le cul, de la secouer par les épaules et de la prier de mettre de l'ordre dans sa vie.

Puis commença la descente rapide dans l'univers de ce qui n'allait pas chez moi. J'égrenai les litanies suivantes: mes écrits sont du genre qui peuvent seulement plaire à une alcoolique; j'aurais dû comprendre qu'elle était paf la première fois que nous avons déjeuné ensemble et faire quelque chose à ce moment-là (quoi, par exemple? Je ne trouvais rien). J'ai l'impression d'être revenue dans ma famille et de dépendre entièrement d'une folle. De tous les éditeurs qui existent dans le monde, il a fallu que je trouve une femme qui me ramène droit à mon enfance. Je savais que c'était trop beau pour être vrai.

Trois semaines plus tard, je reçus le livre révisé par la poste avec une note d'excuses de la part de Peg. «Pardonnez-moi, je vous en prie, votre livre est vraiment excellent.» Tout en feuilletant le manuscrit, j'éclatai de rire malgré la colère que je ressentais à l'endroit de Peg. À côté d'un paragraphe sur le fait de se sentir belle, elle avait griffonné: «G., votre mère, Sara et moi savons que vous êtes belle, mais la lectrice trouvera inconvenant que vous le souligniez sans arrêt.» En marge d'un paragraphe portant sur le fait de jouer avec sa nourriture, elle avait noté: «Je pense que ceci est trop stupide pour qu'on en parle, mais c'est votre livre et si vous y tenez, on le laissera. Mais, je vous en prie, donnez-lui une tournure plus sensée.» Un grand X était dessiné sur ce que je jugeais comme l'image la plus poétique de tout le livre, des mains qui s'agitent, qui se tendent, qui demandent de la nourriture. Dans la marge, Peg avait écrit: «Je pense qu'il est temps de dire au revoir à ces menottes.»

Inscrits sur des bouts de papier verts collés sur la page, ses commentaires m'inspiraient du respect pour l'élégance du langage, me faisaient réfléchir profondément à ce que j'avais écrit et

glousser devant mon ignorance ou mon arrogance. Peg me donnait le sentiment qu'elle se souvenait de l'essence de ce que j'avais
voulu dire alors que moi je l'avais oubliée, et que sa tâche consistait justement à préserver cette vision. Elle ne me permettrait
aucun raccourci. Elle ne me laisserait pas banaliser ni déprécier le
langage. Elle me harcèlerait jusqu'à ce que je crée mon rêve initial,
revienne à mon point de départ. Je n'ai jamais eu l'impression
qu'elle essayait de modifier ma voix; son unique souci était de
supprimer les volants et les artifices afin qu'elle sonne vrai. Je lui
ai montré des textes que je n'avais jamais osé montrer à personne, des textes qui m'embarrassaient, des textes dont j'étais fière,
des textes dont je doutais. Elle ne s'est jamais moquée de moi.

Grâce à son oreille exercée, elle le décelait aussitôt si j'essayais de m'exprimer comme Virginia Woolf ou Ernest
Hemingway. Elle m'écrivait: «Virginia, ce passage passait mieux
dans *La promenade au phare*.» Elle me rendait une version plus
vraie de mon travail. Et comme elle était assez habile pour ne
pas y insuffler sa voix et ses pensées, je ne cessais de prendre
de l'expansion en sa présence, de redevenir celle que j'aurais
été si je n'avais cru devoir être différente.

Je compris alors quel privilège j'avais de la connaître, de
l'avoir dans ma vie, ivre ou sobre. Et je voulais lui rendre la
pareille. Quand quelqu'un qui ne l'a même pas volé vous
redonne votre cœur errant, tout ce que vous pouvez faire en
retour équivaut à des miettes.

Je redoublai d'efforts pour me faire comprendre d'elle. Je
décidai de ne pas garder pour moi mes sentiments à son égard
sous prétexte qu'un regard affectueux la faisait se tortiller
comme un ver. Quand elle perdit son emploi chez Bobbs-
Merrill, je m'efforçai de lui en trouver un autre. Au cours des
deux ou trois années où je continuai à écrire, je lui envoyai mes
textes à réviser. Un jour, elle me renvoya mon projet de livre
accompagné du mot suivant: «Essayez de nouveau. Ceci ne
marche pas. Vous ne dites rien de neuf. J'ai peur que vous ne
me jugiez trop dure avec vous. Je vous appellerai la semaine

prochaine.» Quelques mois plus tard, je lui expédiai un nouveau projet. Elle m'appela et laissa un message sur mon répondeur: «Votre projet est merveilleux. Vous avez enfin mis le doigt sur un point qui semble juste. Lancez-vous.» Puis, comme le livre était axé sur ma rencontre avec Matt et ma relation avec lui, elle écrivit à Matt la lettre qui suit:

> Cher Matthew,
> Pour l'amour de Dieu, merci! D'abord pour avoir rendu Geneen stable et heureuse, et fait en sorte qu'elle attende avec impatience votre futur à deux.
> Mais aussi pour lui avoir donné le livre qu'elle a toujours voulu écrire. J'étais désolée de ne pas pouvoir soutenir ses autres idées, mais celle-ci me paraît bonne et elle l'est.
> Je suis aux anges...
>
> Peg

Chaque fois que je l'appelais, je retenais mon souffle jusqu'à ce qu'elle réponde. Je ne savais jamais si elle serait sobre et au travail ou ivre et sans connaissance sur son lit. Tout ce qu'elle était, elle l'était à l'excès: drôle, sensible, dure, brillante, amène, autodestructrice. Après avoir travaillé un an avec elle, je savais qu'un jour, ses extrêmes finiraient par entrer en collision et qu'elle flamberait comme des copeaux de bois dans une explosion. Je savais qu'elle ne vivrait pas vieux. Et que tout désir de lui sauver la vie relevait du fantasme. Tout ce que je pouvais faire, c'était l'aimer et espérer que je me trompais au sujet de l'explosion.

Je ne me trompais pas.

Neuf ans après notre rencontre, Peg fut atteinte d'un cancer du foie. Elle fit quelques séjours à l'hôpital où on lui administra des traitements de chimiothérapie. À cette époque, j'étais occupée à écrire *Lorsque manger remplace aimer*, et au lieu d'attendre d'avoir achevé le manuscrit, je lui envoyais chaque chapitre à mesure. Ses révisions raccourcirent et son écriture devint tremblante. Je n'en chérissais pas moins ses commentaires que je conservais près de moi dans une grande enveloppe afin de pouvoir entendre sa voix et m'y rapporter encore et encore.

Lorsqu'elle mourut à l'hôpital, son amie Victoria me raconta que Peg avait gardé à son chevet une de mes lettres. Et qu'elle l'avait lue tous les deux ou trois jours pendant les dernières semaines de sa vie.

Un an avant qu'on diagnostique son cancer, je lui avais dédié un livre et ma dédicace s'accompagnait d'une lettre:

> Vous rencontrer a changé ma vie.
>
> ... Si jamais vous avez le sentiment de ne pas avoir accompli suffisamment dans votre vie, je veux que vous sachiez que vous avez donné à au moins une personne — moi-même — ce que bon nombre de gens meurent sans jamais avoir connu: la connaissance ancrée dans mon corps que ce que je suis et ce que j'ai à dire valent quelque chose. Je vous aime, Peg. Vous vivez en moi pour toujours.

À ses funérailles, je racontai notre première rencontre, la lettre dans laquelle j'avouais lui avoir menti. Je décrivis quelques-uns de ses commentaires les plus drôles. La fois où elle avait inscrit, dans un manuel où je donnais comme exemple la confection d'un gâteau représentant l'Empire State Building: «Si tu refuses de supprimer ce passage, je me jette en bas du toit.» D'autres amis évoquèrent sa gentillesse envers les inconnus, son habitude de nourrir les plombiers, les électriciens, les femmes sans abri. Je pleurai pour la dernière fois à ses funérailles. Elle aurait qualifié mes larmes d'âneries sentimentales et assuré qu'elle avait vécu la vie qu'elle s'était créée, puis elle m'aurait ordonné de poursuivre la mienne. De reprendre la plume.

Après les funérailles, je demandai à son amie Selma si je pouvais avoir un objet ayant appartenu à Peg, en l'occurrence le trésor qui l'avait suivie depuis Bobbs-Merrill jusqu'à East Quogue.

Aujourd'hui, il est suspendu par un fil vert au-dessus de mon bureau: un crayon d'un mètre de long.

CHAPITRE CINQ

LES AMITIÉS FÉMININES:
LA CONSPIRATION DE LA FAIM

Lorsque je fis la connaissance de Sara, je portais des balleri-
nes de satin rose avec des semelles aussi minces que des
crêpes. Mon petit ami me les avait offertes pour mon vingt-
huitième anniversaire la semaine précédente, et les porter me
donnait le sentiment d'être brave et prête à vivre dangereusement.

Je frappai à la porte. Une femme portant un chemisier rayé
blanc et noir, un pantalon noir, des chaussettes et des boucles
d'oreilles rayées blanc et noir vint m'ouvrir. Ses cheveux étaient
ondulés et, à l'instar de ses vêtements, rayés blanc et noir.

— Je suis Sara, dit-elle en me tendant la main. Entrez.

Nous traversâmes un salon dans lequel se trouvait un piano
demi-queue et pénétrâmes dans une petite pièce tapissée de
livres dans laquelle deux fauteuils de cuir caramel se faisaient
face. Sara se plaça derrière l'un d'eux et, m'indiquant l'autre,
m'invita à m'asseoir.

Je pris place dans un des fauteuils et attendis.

Elle se laissa glisser dans l'autre, rajusta son chemisier noir
et blanc, croisa les jambes, m'adressa un sourire averti, rassurant, inspira profondément.

— Veuillez m'expliquer la raison de votre visite.

Nouveau regard. Nouvelle inspiration.

— En quoi puis-je vous aider?

Je me souvins d'avoir entendu dire qu'elle était thérapeute
et compris qu'elle supposait que j'étais venue la consulter. En

fait, je venais rencontrer son mari, qui devait me fabriquer un bureau. J'envisageai d'aller jusqu'au bout de la consultation, de lui confier mes difficultés amoureuses afin de ne pas l'embarrasser. Puis je compris que, si j'avais posé des gestes ridicules dans ma vie pour éviter de mettre les autres mal à l'aise, cette fois-ci, ce serait aller trop loin. Je m'efforçai de refléter la sagesse et la compassion que je lisais sur son visage avant de parler, puis de lui faire comprendre que, même si elle venait de se tourner en ridicule comme jamais, sa vie n'avait pas besoin de s'arrêter là.

— Je crains que ce ne soit un malentendu, dis-je d'une voix hésitante. Je dois rencontrer votre mari au sujet de la fabrication d'un bureau.

Le sang se retira de son visage qui exprima l'incrédulité. Puis un franc sourire, qui révéla deux rangs de petites dents, éclaira celui-ci.

— Ma foi, dit-elle. Voici le moment le plus embarrassant de toute ma vie. Je suis si gênée que je voudrais pouvoir rentrer sous terre.

Elle pouffa de rire, en une trille aiguë de trois notes qui me rappela le dernier jour de l'école avant les vacances d'été, et je sus, à cet instant précis, que nous allions devenir amies.

Nous nous rencontrâmes à quelques reprises pour prendre le thé dans un café situé derrière la librairie. Nous bavardions pendant des heures et nous quittions à regret. Après notre quatrième rencontre, Sara proposa que nous nous accordassions le luxe de nous rencontrer chaque semaine.

Les mardis après-midi, vêtue d'un quelconque ensemble dans lequel s'harmonisaient la jupe, les chaussettes et les boucles d'oreilles (il s'agissait, en général, de rayures ou de carreaux noir et blanc), Sara sonnait chez moi et nous prenions le thé dans la cuisine en bavardant. À un moment donné, les chaises nous paraissant trop dures, nous émigrions vers les futons vert émeraude et grenat posés à même le sol du salon. Au bout de quelques mois, nous sautâmes l'étape des chaises et commençâmes directement sur les futons, passant des heures à bavarder, à nous raconter l'histoire de nos vies tandis que la lumière filtrait à travers les rideaux de dentelle crème.

Nous tombâmes amoureuses comme les femmes tombent amoureuses de leurs amies. Comme des poupées russes, engoncées l'une dans l'autre, la mère devenant l'enfant qui devient la mère de l'enfant. Tombant sans fin l'une dans l'autre, puis nous séparant, tombant, puis nous séparant de nouveau. Nous étions comme des étoiles de mer auxquelles il poussait de nouvelles parties, étendant de nouveaux soi, comme si, en nous rencontrant l'une l'autre, nous avions la chance de nous réinventer, de nous réorganiser, de devenir entières.

Avec Sara, j'avais le sentiment d'être profondément accueillie; notre amitié semblait régir les saisons, combler les vides, brûler certaines parties de moi-même. C'était le reflet de notre féminitude qui était si satisfaisante. Ma façon de deviner ses impulsions, ses raisons, ce qu'elle cherchait à atteindre. Sa connaissance de moi-même, sa capacité de préserver la vision de celle que je voulais être malgré ce que je croyais être à ce moment-là.

Notre similitude fondamentale contrastait avec la multitude de nos différences. Sara était enracinée chez elle tandis que je voyageais constamment. Elle s'efforçait de mener une vie stable; je faisais tout pour que la mienne soit dramatique. Elle était sociable, extravertie, s'animait en société; j'étais solitaire, introvertie, me fanais sans moments de solitude. Séparées, nous étions petites, distinctes; ensemble, nous étions le meilleur de chacune de nous, un univers entier et chatoyant.

Nous nous mîmes à nous téléphoner chaque jour, puis quelques fois par jour, puis à nous visiter mutuellement de manière impromptue. Moins de six mois plus tard, aucune de nous ne se souvenait de n'avoir pas connu l'autre, de ce à quoi ressemblait sa vie avant notre rencontre. Nous nous sentions chanceuses, bénies, à jamais transformées.

♥

Pendant dix ans, je ne vis rien d'autre en Sara que patience et compassion, sagesse et aménité, générosité et amour. Je voyais surtout de l'altruisme, une qualité dont j'étais certaine d'être dépourvue.

Entre la onzième et la treizième année, je vis en elle l'être le plus manipulateur, le plus agressif et le plus dominateur que j'aie jamais connu.

La quatorzième année, soit il y a deux ans, je regardai Sara et, pour la première fois, vis Sara.

La transformation de mes sentiments après dix années d'une amitié formidable fut précipitée (mais non causée) par mon déménagement de Santa Cruz à Berkeley, deux cents kilomètres plus loin, changement dont Sara et moi avions parlé pendant deux ans avant qu'il ne se produise. Certes, nous savions fort bien que le fait de vivre dans des villes différentes transforme-rait notre relation, et c'est en toute connaissance de cause que nous pleurions la fin d'une époque. Nous étions capables d'ob-server nos sentiments et d'en parler, et reconnaissions la part qui nous revenait dans chaque conflit; nous étions fières de pouvoir passer à travers des situations délicates et confuses. Déménager à une heure et demie de trajet semblait difficile mais faisable — les meilleures amies survivaient souvent à pire (à des déménage-ments à l'autre bout du pays ou du monde, par exemple).

Six semaines après mon départ de Santa Cruz, ma relation avec Sara se désintégra. Celle-ci m'avoua que les longs trajets l'effrayaient et qu'elle ne viendrait pas me voir à Berkeley. Elle aimait la situation telle qu'elle était avant et, puisque c'est moi qui l'avais embrouillée, c'était à moi de l'améliorer. Selon elle, c'était à moi de venir à Santa Cruz et non à elle de se rendre jusqu'à Berkeley. Elle m'accusa de lui avoir substitué ma mai-son, alléguant que je consacrais trop d'énergie à créer de beaux espaces et que ma maison était devenue ma meilleure amie. (Aujourd'hui, cette idée nous paraît loufoque, mais à l'époque, ce n'était pas le cas.) Elle tenait des propos extravagants, exigeait des cadeaux exorbitants et se changea en un être méconnais-sable et antipathique que je fus à un cheveu près de détester.

Sa conduite me stupéfiait, et je réagis comme quand j'étais petite et que ma mère m'acculait au mur en battant l'air de ses deux bras: je me tenais parfaitement immobile, plongeais dans un endroit au fond de moi-même où elle ne pouvait pas me toucher, m'atteindre ni me blesser. Je me sentais victimisée, voire trahie, et me demandais ce qui avait bien pu me plaire chez cette folle que j'appelais autrefois ma meilleure amie.

Nous essayâmes la thérapie. En vain. Je tentai de faire la méditation du pardon. Cela aidait, mais seulement pendant quelques heures. Je voulus la raisonner sur sa théorie «œil pour œil». En pure perte. Elle fit tout pour me convaincre qu'elle avait raison et que j'avais tort. Je ne la crus pas. Nos cœurs saignaient et aucune de nous ne voulait prolonger cette situation. Deux ans et demi après avoir déménagé à Berkeley, j'écrivis à Sara pour lui signifier mon désir de mettre un terme à notre amitié.

♥

J'anime un atelier et nous élaborons des listes. En haut du tableau de papier, j'écris «Les femmes sont...» et je demande aux participants (des femmes, pour la plupart) de terminer la phrase, de dire tout ce qui leur passe par la tête sans rien censurer.

Les femmes minces...
sont prétentieuses
sont pointilleuses
s'embêtent
sont peu profondes
sont superficielles
se soucient uniquement de leur apparence
sont méchantes
sont insensibles
sont dominatrices
sont affamées
sont entourées d'hommes
sont sûres d'elles

Nous dressons une autre liste.

Les grosses femmes sont...
solitaires
tristes
incapables de prendre sur elles
pathétiques
prêtes à tout pour devenir minces
capables d'écouter
sensibles
capables de voir au-delà des apparences
profondes
habiles à ravaler leurs sentiments

Puis une autre.

Si j'étais mince, les autres femmes...
penseraient que je ne veux pas être leur amie
seraient jalouses
voudraient connaître mon secret
casseraient du sucre sur mon dos
croiraient que tout me réussit
me trahiraient
craindraient que je ne veuille leur voler leur homme
se protégeraient de moi
penseraient que je suis différente d'elles
me rejetteraient

Cela, dans une pièce remplie de femmes qui souhaiteraient être minces.

Une femme appelée Marthe dit: «Mes amies et moi avons passé des années à parler uniquement de nourriture et de régimes. Puis, quand j'ai commencé à perdre du poids, j'ai perdu des amies. Celles-là mêmes avec qui j'avais suivi un régime après l'autre. Elles ne voulaient pas savoir que je maigrissais tout en mangeant ce que je voulais. Elles ne voulaient pas faire face à ma minceur. Leur attitude me blesse profondément. Elles étaient mes *amies,* et je croyais qu'elles se réjouiraient pour moi.»

«Quand j'ai perdu du poids, enchaîne une autre femme, mes amies ont tenté de saboter mes efforts en m'offrant de la nourriture et en insistant pour que je la mange. Elles s'extasiaient sur la saveur d'un gâteau, se pâmaient sur la glace tandis que j'étais assise à mon bureau. Elles ne supportaient pas de me voir mince alors qu'elles étaient grosses.»

Pendant qu'elle parle, je remarque que quelqu'un a complété l'un des graffiti peints sur le mur. Après les mots «Dans la cafétéria de la vie...», on a écrit: «je n'aurai jamais un plateau assez grand.»

Je ne serai jamais rassasiée.

J'aurai toujours faim.

Je voudrai toujours quelque chose.

Je n'aurai jamais ce que je veux.

Il ne faut pas s'étonner, lorsqu'on croit que son plateau sera toujours trop petit, d'éprouver de l'envie et de fulminer intérieurement devant le plateau d'une amie qui a l'air de déborder. Pas plus qu'il ne faille s'étonner du fait que, mues par notre désir de sécurité, nous concluions des ententes inconscientes et tacites avec nos amies: je resterai grosse si tu le restes aussi; je serai perpétuellement insatisfaite si tu l'es aussi; j'éviterai de grandir pour que tu ne te sentes pas menacée. Si nous violons ces ententes (en maigrissant, en changeant d'emploi, en disant la vérité, en déménageant), cela crée une pagaille monstre.

Bien que cette pagaille soit souvent précipitée par une perte de poids, le problème n'est pas relié à la minceur ou à l'obésité, mais plutôt à la signification que nous prêtons à celles-ci. Il concerne le sentiment de vide, la faim, la véritable satisfaction. Il touche le sentiment de privation et de manque, et nos croyances sur l'abondance et le droit de vivre sur un grand pied.

Dans notre culture, la minceur chez la femme est un symbole de pouvoir et de bonheur. Si ce n'était pas la minceur, ce serait autre chose. À l'époque où la nourriture était rare, l'obésité était un symbole de richesse, de beauté et de pouvoir. Ce qui pose problème, ce n'est pas notre apparence, mais la faim que nous sommes prêtes à endurer quotidiennement, et le fait que beaucoup d'entre nous se servent de leurs amies pour perpétuer cette faim. Quand une amie conteste la conspiration de la faim, nous nous sentons menacées, envieuses et trahies. Nous nous prenons pour des victimes, nous sentons délaissées et haineuses. Au lieu d'affronter le sentiment de vide que crée en nous le changement survenu chez notre amie, nous concentrons notre attention sur elle et voudrions remonter dans le temps. Nous préférerions qu'elle reprenne les kilos perdus plutôt que de prendre conscience de la façon dont nous nous gardons affamées. Nous voudrions que tout le monde soit affamé plutôt que rassasié. Pas parce que nous sommes des monstres qui veulent voir souffrir les êtres qui leur sont chers, mais parce que nous sommes persuadées que ce qui leur est arrivé ne peut pas nous arriver à nous. Nous ne sommes plus en contact avec notre véritable nature spacieuse.

Mais cette perte n'est que temporaire.

Matt me raconte une histoire entendue lors d'une conférence: un homme et son voisin possèdent tous deux des poulets. Un jour, le voisin reçoit en cadeau une magnifique vache qu'il apprend à aimer et à soigner. La vache lui donne du lait, du beurre et du fromage qu'il partage avec son ami. Mais celui-ci est jaloux du fait que son voisin possède une vache et lui pas. Un jour, il trouve une bouteille, la frotte et le fameux génie lui apparaît aussitôt.

— Je t'accorderai un souhait, dit le génie, mais un seul. Penses-y bien, réfléchis à ta vie, puis demande-moi tout ce que tu veux.

— Tue la vache, dit l'homme.

Ce qui fut fait.

Il aurait pu demander tout un troupeau de vaches. Ou une ferme avec un jardin *et* des chevaux *et* des moutons *et* des vaches. Il aurait pu demander le bonheur, la joie ou l'extase sexuelle pour l'éternité, mais son unique désir consistait à diminuer l'envergure de la vie de son voisin au lieu de donner de l'ampleur à la sienne propre.

♥

Quand je déménageai à Berkeley, j'eus l'impression, devant la réaction de Sara, que ma meilleure amie voulait tuer ma vache.

Je voulais déménager depuis bien des années, mais j'ignorais où aller et répugnais à quitter Sara. Ma vie rapetissait de plus en plus à Santa Cruz sans que je sache au juste pourquoi, mais par souci de ne pas heurter les sentiments de Sara, je me gardai de jamais le lui avouer. Quand je rencontrai Matt, il déménagea à Santa Cruz pour trois ans jusqu'à ce que sa société, dont le siège social se trouvait à Berkeley, requît sa présence à temps plein. J'acceptai de déménager, pour moi, pour lui et pour nous.

Je mentis à Sara puis me sentis trahie parce qu'elle ne soutenait pas ma croissance ou mon bonheur. Je prétendis que Matt et moi devions déménager pour son travail, ce qui était vrai, et que je n'avais pas le choix, ce qui était faux. Je faisais à Sara ce que j'avais fait à ma mère: je modifiais mon image. Sachant ce qui lui plaisait ou l'irritait, je dissimulais les facettes de ma personne qui l'exaspéraient.

J'avais de bonnes raisons d'agir ainsi avec ma mère, dont l'une était d'assurer ma survie. Il n'y a pas de bonnes raisons d'agir ainsi avec ses amies. Hormis le fait qu'il y a six ans, je croyais encore qu'en mentant, je compatissais à la souffrance de Sara et que ma survie dépendait de mon habileté à me dissimuler.

L'une des lignes de conduite de Breaking Free consiste à «manger avec l'intention de le faire à la vue de tous». Cela ne veut pas dire, comme je le précise dans mes ateliers, que si vous vivez seule, vous devez forcer les passants à venir vous regarder manger. Cela signifie que, si quelqu'un entre chez vous pendant que vous mangez, vous évitez d'avaler à la hâte vos pommes mousseline, de les cacher ou de prétendre qu'elles sont destinées au chien. Cela signifie que vous laissez les autres voir ce que vous mangez même si vous pesez cent trente kilos et êtes en train de vous gaver de choux à la crème et de cerises enrobées de chocolat; car, en vous cachant, vous affirmez que vous n'êtes pas acceptable et que vous devez prétendre être quelqu'un d'autre pour que l'on vous aime, quelqu'un qui mange du poulet sans la peau et de la salade sans vinaigrette au lieu de choux à la crème et de cerises enrobées de chocolat. Quand vous mangez en cachette, vous perpétuez la croyance que vous êtes trop laide, trop insatisfaite, trop intense pour être vue et aimée telle que vous êtes.

Il en est de même quand vous dissimulez vos sentiments. Comme je l'ai fait avec Sara. Mais mon départ de Santa Cruz se passait de commentaire tout comme le fait de maigrir se passe de commentaire. On ne peut pas cacher le fait que l'on est plus mince. (On pourrait, je suppose, porter des vêtements trois tailles au-dessus, mais ce n'est pas ce que la plupart des gens veulent faire quand ils maigrissent.) Je ne pouvais pas dissimuler le fait que je partais et, bien que je tentai d'en éluder la responsabilité, mon départ brisait la conspiration de la faim entre Sara et moi, une conspiration dont ni l'une ni l'autre n'étions tout à fait conscientes.

♥

Voici une autre histoire, un vieux conte soufi mettant en vedette Nasrudin, le fou.

Nasrudin perd ses clés dans la maison. Un soir, le voisin le trouve dehors à quatre pattes sous un lampadaire.

— Que fais-tu là, Nasrudin? lui demande-t-il.

— Je cherche mes clés, répond Nasrudin.

— Les as-tu perdues ici?

— Non, je les ai perdues chez moi.

— Pourquoi les cherches-tu dans la rue si tu les as perdues chez toi?

— Parce que, de répondre Nasrudin, il fait plus clair ici que chez moi.

Dès notre première rencontre, Sara et moi fûmes d'accord pour chercher nos clés ensemble. Si l'une de nous trouvait ses clés, elle continuait de chercher tant que l'autre n'avait pas trouvé les siennes. Nous nous entendîmes aussi sur le fait que, même si nous les avions perdues à l'intérieur de la maison, nous les trouverions dans les poches de l'autre. Elle était ma clé et j'étais la sienne; nous étions la réponse l'une de l'autre. S'il était acceptable d'avoir d'autres amis et un mari, c'était le lien qui nous unissait en tant que femmes qui comptait le plus. Nous comprenions les difficultés liées au fait de partager la vie d'un homme, d'être femme dans une société sexiste. Nous comprenions ce que c'était que de saigner tous les mois, d'avoir peur de marcher seule le soir, de vouloir parler de tout ce que nous voyions, ressentions, croyions. Nous nous comprenions mutuellement comme personne d'autre ne pouvait nous comprendre; nous avions besoin l'une de l'autre pour survivre et nous serions fidèles à ce lien avant tout et pour toujours.

Les ententes inconscientes comme la nôtre posent maints problèmes, le principal étant lié au fait qu'elles sont fondées sur un sentiment d'insuffisance et de vide, sur la faim et le manque. Elles reposent sur la croyance que ce que je suis n'est pas suffisant, que dans la cafétéria de la vie mon plateau ne sera jamais assez grand et que ma seule chance de trouver satisfaction se trouve à l'extérieur de moi-même. Mon unique pouvoir tient à ma capacité de comprendre comment obtenir suffisamment des gens et des choses qui m'entourent.

Comme la nature du sentiment d'insuffisance est telle que rien ne peut jamais nous contenter, peu importe à quel point on m'aime, je ne sens pas cet amour. Pour éprouver un sentiment constant de ma valeur, je dois recevoir un flot d'amour continu. Si je veux me sentir complète et qu'au fond, je me sens vide, je dois renier ma propre vérité. Je dois mentir, me cacher et, si j'ai suffisamment de chance pour rencontrer une amie qui remplisse mon plateau, je dois me garder de la menacer.

Même si cette description évoque davantage l'emprisonnement que l'amitié, c'est ce que la plupart d'entre nous appellent amitié ou mariage.

Nous agissons comme si nous avancions dans la vie chargées de paniers dans lesquels nous entassons des plaisirs, fouillant sans cesse pour en trouver davantage; nous croyons que, lorsque nous en aurons ramassé suffisamment, nous pourrons enfin nous reposer. Comme si l'amour et le plaisir étaient des mûres que nous mettrons en conserve pour l'hiver et étalerons sur des petits pains à la cannelle quand notre vie deviendra orageuse et froide.

Mais nous n'avons pas le temps de nous reposer, de faire des réserves pour plus tard, car nous avons faim maintenant. Nous n'en aurons jamais suffisamment parce que nous sommes convaincues que notre essence même est insuffisante.

Si vous avancez avec un sentiment d'insuffisance dans la cafétéria de la vie, votre plateau ne sera jamais assez grand.

Pour avoir suffisamment, vous devez être persuadée que ce que vous *êtes* est suffisant.

Et quand vous serez convaincue que ce que vous êtes est suffisant, ce que vous aurez passera au second plan.

♥

Après avoir lutté pendant trois ans avec le degré de fusion que nous avions atteint et travaillé pendant deux ans à nous extirper du gâchis que nous avions créé, Sara et moi sommes redevenues les meilleures amies du monde. Notre amitié est très différente de celle qui nous unissait autrefois. Je ne dépose plus mes morceaux à ses pieds dans l'espoir qu'elle les recolle. Je ne lui demande plus de combler mes vides. Je ne me tourne plus vers elle comme un enfant vers sa mère, et il y a des moments où le confort de nos anciennes habitudes me manque. Cela me manque de croire que quelqu'un sait mieux que moi ce qu'il faut faire, d'avoir quelqu'un qui me dise quoi faire. Cela paraît ridicule, je le sais, surtout que, lorsque Matt tente de me glisser un conseil, je lui lance un regard méprisant et le renvoie à ses oignons. Mais je n'ai pas vraiment eu de mère, et Sara remplaçait la mienne. Cela m'a manqué d'avoir quelqu'un sur qui je pouvais compter, quelqu'un dont je respectais les valeurs. C'est cela le plus difficile: personne ne peut me donner ce que ma mère ne m'a pas donné.

Comme tant d'entre nous, je me blâmais moi-même pour la folie qui sévissait dans ma famille. J'ai grandi en doutant de ma valeur et en cherchant quelqu'un qui me redonne mon estime de moi-même. Et même s'il était réconfortant de trouver en Sara un être en qui j'avais confiance, que j'estimais et respectais, sa façon de me redonner à moi-même ne m'a pas régénérée. Parce que, aussi gentille et aimante que soit son image de moi, ce n'en était pas moins son image à elle, et elle m'obligeait à dépendre de sa présence et à demeurer dans ses bonnes grâces. Cette dépendance, outre qu'elle me poussait à mentir et à dissimuler mes sentiments, renforçait un faux moi qui exigeait que je reste petite et affamée; or je ne suis ni petite ni affamée.

Un professeur m'expliqua un jour que je projetais ma bonté sur les autres et ne reconnaissais en moi-même que ce qui était mauvais. C'est comme si j'enfermais mon meilleur moi dans une boule de lumière et la remettais à ma meilleure amie en disant: «Sois l'incarnation de ma bonté et quand je douterai de mon essence, rappelle-moi l'existence de cette lumière.»

Après que j'eus déménagé, Sara refusa de me rappeler l'existence de ma lumière et je me sentis démunie et en colère. Finalement, je fis face à mon sentiment de vide et d'insuffisance. Cela ne se fit pas d'un seul coup. Ce sentiment était le sol que je foulais, le mensonge sur lequel j'avais édifié ma vie.

Mais ce mensonge cache un autre monde. Il ne s'agit pas d'une vie parallèle, ni d'un monde imaginaire. Ce n'est pas un monde où je suis célèbre et aimée, ni même heureuse. C'est un monde dans lequel je retrouve ce que je suis. Pas parce que j'ai accompli un exploit fabuleux ni ai enfin appris à être généreuse, altruiste et à jamais mince. Je retrouve ce que je suis parce que je retourne à moi-même.

Cela me manquait d'avoir confiance et d'éprouver du respect. Cela me manquait de m'estimer et d'être joyeuse. L'expérience de la compassion et de l'amour me manquait aussi. Ces manques engendraient en moi un sentiment d'insuffisance qui me rendait dépendante des autres. À mesure, cependant, que se déroulait mon drame avec Sara, je vis qu'elle ne possédait pas ces choses, elle non plus. J'avais cru tout ce temps que mes clés se trouvaient dans sa poche, que son plateau était assez grand. Mais il était différent, c'est tout, et à mes yeux, différent équivalait à plus grand. Je croyais que si elle me donnait ce qu'elle possédait, je serais enfin rassasiée. Je ne l'ai jamais vraiment vue telle qu'elle était; je la voyais uniquement en fonction de ce qui me manquait et de ce qu'elle pouvait me donner.

Si j'avais pu voir Sara telle qu'elle était, j'aurais compris qu'elle était aussi occupée à remplir son plateau que je l'étais à remplir le mien. Notre amitié reposait sur des échanges: je te donnerai ma part de tarte aux pommes si tu me donnes ton morceau de gâteau au fromage. Je te donnerai mon sandwich au poulet si tu me donnes ta salade César. En fin de compte, nos plateaux et nos vies étaient exactement de la même taille qu'au début. J'étais toujours insatisfaite et vide. Et elle aussi.

On ne peut pas avoir une enfance heureuse une fois devenus adultes, parce que le bonheur dans l'enfance dépend de la présence de grandes personnes capables de nous donner ce dont nous avons besoin. Or les autres ne peuvent pas nous redonner ce que nous avons perdu. Même si c'était possible, pourquoi le voudrions-nous? Quoi que nous croyions, leurs plateaux sont aussi vides que les nôtres.

Personne ne possède ce que nous avons perdu parce que, de prime abord, personne ne nous l'a pris. Certes, il est vrai que grandir entre un père alcoolique et une mère violente annihile tout sentiment de sécurité, de paix ou d'amour, mais ce n'est pas *leur* sentiment à eux qui est annihilé, mais bien le nôtre. Un père ivre nous empêchait de ressentir la plénitude de notre être parce que lui-même était grand et terrifiant, et que nous avions besoin de lui pour survivre. En tant qu'enfants de parents perturbés, nous ne pouvions nous connaître nous-mêmes sans nous référer à un tiers. Et nous croyons avoir encore besoin de nous référer aux autres pour nous sentir entières. Mais c'est cette attitude même qui nous empêche de nous sentir entières parce qu'elle nous pousse sans cesse à chercher nos clés à l'extérieur, sous le lampadaire.

Si nous voulons trouver nos clés, nous devons rentrer chez nous. Pour retrouver ce que nous sommes, nous devons revenir à nous-mêmes. Il n'existe pas d'autre façon. Être célèbre, mince, en santé, riche, amoureuse ou la meilleure amie de quelqu'un ne peut nous procurer un sentiment de plénitude. Nous devons repasser à travers les différentes couches de nous-mêmes. Nous atteindrons la plénitude en cherchant ce qui nous empêche de nous sentir entières de même que nous retrouverons le respect et la confiance en cherchant comment nous bloquons ces sentiments en nous. Nous trouverons nos clés en les cherchant là où nous les avons perdues.

Il s'agit d'un processus de dépouillement et non d'un remède. Il n'existe pas de réponses toutes faites, ni de lignes de conduite. Mais cela peut être fait par n'importe qui, n'importe quand, n'importe où. Car l'essentiel, c'est de comprendre véritablement ce que l'on veut.

Toute compréhension profonde entraîne une libération qui provoque à son tour une transformation. Quand j'ai compris que le plateau de Sara était aussi petit que le mien, j'ai cessé de le regarder avec envie.

Il y a quelques années, j'ai compris que je pouvais définir l'amour comme un sentiment que je portais à certaines personnes, à Matt, à Sara, à mes amis et à ma famille, ou encore le ressentir en tant que qualité propre à mon être. Je pouvais choisir entre donner mon cœur à une personne qui cherchait quelqu'un à qui offrir le sien ou encore ressentir la douceur exquise et délicate de mon propre cœur fondant dans ma poitrine.

Maintenant, je ne peux plus revenir en arrière.

Maintenant, je veux les deux: ressentir ma propre plénitude et avoir des amis avec qui partager ma vie et effectuer le voyage.

La conspiration de la faim dans laquelle Sara et moi étions engagées était une entente dichotomique: soit je la possédais, elle, avec toutes les richesses et les coûts inhérents à cette amitié, soit je me possédais moi-même. Comme être avec moi-même voulait dire me sentir vide, ou dans le tort ou sans valeur, le choix était facile à faire.

Être avec moi-même veut encore dire, à l'occasion, me sentir vide, dans le tort ou sans valeur. Mais maintenant, je comprends qu'il n'y a rien que Sara ou personne puisse faire pour combler ce vide, redresser mes torts ou me redonner mon amour-propre. Ce n'est pas comme si je ne faisais pas de mon mieux. J'ai fait de mon mieux pendant dix ans. Mais notre conspiration était fondée sur un mensonge, selon lequel si je restais petite, je serais en sécurité. Si je me pliais aux exigences de l'amitié, je ne serais pas tourmentée par un sentiment de vide. En vertu de ce mensonge, une personne peut être la sécurité, l'amour, l'estime de soi et la vérité d'une autre personne.

Nous avons toutes soif de vérité. Nous avons soif de nous sentir entières, de nous connaître, de sortir de cette orbite soumise à la loi de la pesanteur qui nous fait tourner en rond jour après jour. Toute relation édifiée sur un mensonge ne peut faire autrement que se désintégrer dès que l'un des partenaires comprend qu'il peut prendre de l'expansion.

Nous devons bâtir nos amitiés sur la vérité, la plénitude et l'expansivité. Nous avons besoin d'amis qui peuvent être présents dans notre solitude, pas de gens qui nous égaieront pour nous en préserver. Nous avons besoin d'amis qui se fâchent contre nous quand nous ne sommes pas réelles ou vraies envers nous-mêmes, et non quand nous ne cédons pas à leurs caprices. Nous avons besoin d'amis qui n'ont pas peur de notre souffrance ou de notre joie. Qui n'attribuent pas d'importance à notre apparence, à nos actions ou à nos sentiments, qui sont prêts à nous voir sans se référer à eux-mêmes. Nous avons besoin d'amis qui sont prêts à s'arracher à leur orbite pour se lancer avec nous dans l'inconnu.

Et nous avons besoin d'être ces amies pour nous-mêmes.

Il faut toujours se poser les questions suivantes: cette amitié contribue-t-elle à enrichir ma vie ou me limite-t-elle? Me rapproche-t-elle de mon cœur ou m'en éloigne-t-elle? Est-ce que je m'ouvre ou me ferme au contact de cette personne? Accentue-t-elle ma confiance en moi ou m'incite-t-elle à avoir peur de moi-même? Donne-t-elle de l'ampleur à ma vie ou la rapetisse-t-elle?

Une amie véritable ne voudra pas tuer votre vache. Et vous ne voudrez pas tuer la sienne. Parce qu'en tuant sa vache, vous la privez d'un bien précieux et tout ce qui vous reste, c'est une vache morte.

♥

Il y a quelques mois, Sara reçut un appel téléphonique au milieu de la nuit. Une voix féminine demanda si elle était bien la Sara dont il est question dans *Lorsque manger remplace aimer*. Elle répondit par l'affirmative. La femme éclata alors en sanglots et s'excusa de téléphoner à une heure aussi tardive. Elle avait connu Sara grâce à mes livres. Elle disait qu'elle avait besoin d'une amie comme la Sara que je décrivais, une personne patiente, compatissante et sage.

Sara lui parla pendant environ vingt minutes, puis lui demanda si elle voyait une thérapeute. La femme répondit par l'affirmative et promit d'appeler celle-ci tôt le lendemain. Au moment de raccrocher, elle dit: «Tout le monde a besoin d'une Sara.»

L'image de cette femme me hanta pendant quelques jours. Je songeais au désespoir qu'elle avait dû ressentir pour appeler une inconnue au beau milieu de la nuit. À la solitude qui devait être la sienne pour avoir besoin d'une amie et imaginer qu'une personne dont il était question dans un livre pouvait être cette amie-là, l'amie imaginaire qui peut combler les vides et être là quoi qu'il arrive. Il est réconfortant de croire qu'elle est là quelque part ou même que nous la connaissons déjà. Mais cela est puéril aussi parce que cela nous incite à chercher nos clés à un endroit où nous ne les trouverons jamais.

Tout le monde a déjà une Sara, en l'occurrence la capacité de comprendre son propre cœur exquis, et sans elle, rien ni personne ne suffira jamais.

CHAPITRE SIX

AVOIR OU NE PAS AVOIR: NOURRITURE ET DÉNI DE SOI

C'est le *Yom Kippour** et Matt et moi suivons un jeûne. Je n'ai pas jeûné depuis l'époque où j'étais anorexique et où je buvais des jus de fruit dilués pendant six semaines d'affilée pour ensuite bâfrer une douzaine de beignets et un litre de crème glacée. Mais aujourd'hui je veux jeûner avec les millions de Juifs qui jeûnent dans le monde entier. Je veux prier avec eux au temple. Matt et moi nous trouvons sur une île du Nord-Ouest du Pacifique où un panneau de bois souhaite la bienvenue aux adeptes de dix religions différentes; mais comme les Juifs ne figurent pas sur cette liste, nous prenons nos livres de prière et allons dans la forêt.

Le *Yom Kippour* est la plus sacrée des fêtes juives. C'est le dernier de dix jours de pénitence, au cours duquel on passe en revue ses actions de l'année écoulée et qui aboutit à un nouveau départ pour l'année à venir. Traditionnellement, les Juifs croyaient que s'ils réitéraient, ce jour-là, leur engagement à vivre dans le respect et l'amour, Dieu pouvait transférer leurs noms du Livre des Morts au Livre des Vivants. Aujourd'hui, *Yom Kippour* est une journée où l'on évalue la qualité de son existence et de ses engagements. C'est une période de réflexion et

---

* Jour de l'Expiation ou du grand pardon, consacré à la prière et au repentir. *(N.d.T.)*

de contrition pour le mal que l'on a commis dans l'année. Un moment pour s'arrêter et réciter une longue prière de bénédiction avant le plus abondant repas de l'année.

Nous partons en promenade au petit matin, vêtus de blanc, comme le suggèrent les livres, «afin de ressembler aux anges». Comme l'escalade du mont Willis nous a laissés hors d'haleine et les jambes flageolantes, nous décidons de nous reposer au pied d'un aune rouge. J'ouvre notre sac à dos à carreaux rouges et jaunes, en sors le livre de prière et entreprends la lecture de *Al hêt**, à la fois témoignage et confession de nos imperfections:

Parce que c'est la perception de la douleur qui apporte son soulagement, je regarde à l'intérieur et me rappelle les fois où:
    je n'ai pas utilisé mon pouvoir;
    je n'ai pas vu;
    j'ai résisté au changement;
    j'ai refusé de courir un risque;
    j'ai eu peur de l'excitation.

Tout en nommant ces manquements, je sollicite l'aide que je désire si ardemment, l'aide curative, l'intuition profonde.

Je m'adosse à l'arbre, ferme les yeux et pense: «Coupable de tous les chefs d'accusation», surtout ceux qui touchent la résistance au changement, le refus de courir un risque, la peur de l'excitation. Je pense aux conversations que Matt et moi avons en ce moment au sujet des enfants. Maintenant, il a changé d'avis, ce qui m'oblige à examiner pourquoi je suis si ambivalente à l'idée d'avoir un enfant.

♥

---

* «Pour le péché.» Premiers mots de la grande confession des péchés qui a lieu à Yom Kippour. *(N.d.T.)*

Nous avions dit que nous n'en aurions pas, mes amies et moi. Nous serions des femmes libres, nous voyagerions à travers le monde, nous prendrions notre travail au sérieux, ne nous laisserions pas encombrer par des gosses braillards et morveux. Puis, l'une après l'autre, elles ont capitulé. Toutes mes amies qui affirmaient qu'elles n'auraient pas d'enfant en ont un aujourd'hui, à l'exception d'une. Mon amie Adrienne est enceinte de jumeaux. (Chaque fois que je pense qu'elle aura deux bébés au lieu d'un, et des *garçons* en plus, je frissonne. L'ami de Sara a deux garçons, de neuf et douze ans, qui courent dans toute la maison, renversant les vases, tirant du fusil, jouant à la guerre. Sara et moi les appelons «les chahuteurs».)

Pourtant je rêve à des bébés, regarde avec envie les vêtements minuscules, dessine des bébés aux cheveux blonds et bouclés. Les boucles sont la contribution de Matt, bien que je m'inquiète parfois qu'entre mes propres cheveux fins et raides et la chevelure épaisse et bouclée de Matt, notre enfant hérite d'une crinière ressemblant à un vieux tampon à récurer. Matt prétend que les cheveux devraient être le moindre de mes soucis. Je devrais d'abord m'inquiéter du fait que j'ai quarante-trois ans et n'ai jamais été enceinte (encore que je ne l'aie jamais voulu); et ensuite, du fait que j'ai porté un bouclier de Dalkon pendant un an et un stérilet en T pendant trois ans.

Ma gynécologue est d'avis que je pourrais bien avoir des cicatrices sur les trompes de Fallope. Elle veut me faire passer un hystérosalpingogramme, un test qui consiste à injecter une teinture radioactive dans les trompes afin de suivre sa trajectoire. Je lui demande de donner une chance à mon corps, affirmant que Matt et moi n'avons pas vraiment essayé de concevoir un enfant car j'étais trop malade. Puis je me demande si je suis malade parce que je ne veux pas vraiment devenir enceinte, si je rêve aux bébés parce que je ne pourrai plus en avoir bientôt et que je veux toujours ce que je ne peux pas avoir. Je me dis que je sens une pression, que je veux un bébé parce que toutes mes amies en ont un ou que j'ai peur de vieillir, parce que je crains que mon cœur ne se dessèche comme une cosse de laiteron et que je me berce de l'illusion que le fait d'avoir un enfant me gardera jeune. Je me dis que, si je n'ai pas voulu d'enfant jusqu'ici, c'est un signe que je n'en veux pas du tout. Je me convaincs que je ne suis pas du genre maternel.

Puis je me demande à quoi ressemble une femme maternelle.

Elle a les joues roses (un mélange entre la jeune fille d'une publicité de shampooing Breck et un nu de Renoir), aime faire la cuisine, coudre, camper, assister à des matchs de soccer, trimballer des tas de trucs. Elle a une énergie illimitée, aime materner, est une femme d'intérieur. Une femme qui se connaît suffisamment bien pour insuffler à son enfant du courage et un sentiment de sécurité, et lui donner l'impression qu'il a été désiré. Une femme qui est prête non seulement à donner sa vie mais à *renoncer* à sa vie pour un enfant.

Comme ma mère a renoncé à la sienne. Sans y renoncer.

Matt prend le livre de prière et lit le texte suivant.

Nous transgressons ce qui est éternel quand nous nous trahissons nous-mêmes; pour nos manquements à la vérité, nous demandons l'honnêteté et le courage:

Pour avoir agi par peur de nous regarder profondément et sincèrement;

Et pour avoir utilisé l'examen de conscience honnête comme substitut à la transformation de nous-mêmes;

Et pour avoir laissé la conviction que nous ne pouvions pas changer nous paralyser;

Et avoir utilisé ces prières comme substitut à la véritable transformation.

Pour avoir perpétué l'hostilité en ne pardonnant pas à nos parents les blessures qu'ils nous ont infligées quand nous étions enfants;

Et pour avoir renforcé notre sentiment de culpabilité et notre anxiété en ne nous pardonnant pas les défauts dont nous avons hérité.

Pour nous être adonnés au plaisir fugace d'infliger
des blessures permanentes;
Et pour le cynisme qui gruge notre foi en la possibi-
lité de l'amour.
En nommant ces erreurs, je leur fais face, les accepte
et m'engage à les éviter durant l'année qui vient.

Je suis couchée dans l'herbe, bras et jambes étendus, et me rappelle les fois où je dessinais un ange dans la neige. Nous habitions la 88e Rue à l'époque, et ma mère faisait des mots croisés tous les jours. Ma mère. Lui ai-je pardonné? Je prétends l'avoir fait, mais lui ai-je vraiment pardonné? Je suis encore tellement cynique à l'idée de fonder une famille. Pour moi, le mot *famille* est synonyme de chaos et de souffrance.

Ma mère raconte l'histoire suivante: *Quand j'ai épousé ton père, il pliait des pantalons dans un grand magasin et nous étions pauvres. Nous avons décidé qu'il s'inscrirait aux cours du soir en droit. Or, comme il prévoyait être absent toute la journée et la soirée, il m'a demandé comment il pouvait alléger mon sentiment de solitude. Je lui ai demandé deux choses: un téléviseur et un bébé. Il a acheté le téléviseur, et neuf mois plus tard, tu étais née.*

Voici ce dont je me souviens: une maigre chandelle d'anniversaire bleue et rose, une chaise haute d'un blanc brillant, une pièce ornée d'un masque terrifiant, sculpté dans une noix de coco.

Tu étais ma meilleure amie. À l'époque, j'étais seule à New York. Ma grand-mère était morte, ma sœur s'était enfuie à La Nouvelle-Orléans, et maman et papa étaient déménagés au Texas. Vous étiez ma seule famille, toi et papa, mais il n'était jamais à la maison. Il te couchait dans notre lit juste avant de partir le matin et nous nous rendormions. Au réveil, nous nous serrions l'une contre l'autre et jouions ensemble. Tu étais tellement gaie et rieuse. Je t'appelais «mon rayon de soleil».

Une odeur qui ressemble à celle des feuilles que l'on brûle en automne, une autre odeur qui ressemble à des ondulations bleu nuit, mon père me lance dans les airs, un médaillon d'argent est accroché à sa poitrine, je suis assise sur les genoux de ma mère au bord de l'océan et j'ai peur que les vagues qui se précipitent vers nous m'emportent loin d'elle. La présence douce et réconfortante de ma mère.

Je ne connaissais pas vraiment ton père quand je l'ai épousé. Les autres garçons me jugeaient trop grosse, mais ton père me trouvait jolie. Je sortais avec lui depuis quelques semaines quand mes parents décidèrent de déménager au Texas. Ma mère déclara que je pouvais soit partir avec eux soit épouser ton père, mais que, quelle que soit ma décision, ils ne paieraient plus mes études. C'est ainsi que j'abandonnai ma première année d'études à l'université pour me marier.

À la naissance de ton frère, ton père avait terminé ses études de droit. Nous prîmes nos premières vacances et je me rendis compte que je ne l'aimais pas. Je me sentais prisonnière, je voulais sortir de ce mariage, mais ma mère me supplia à genoux de ne pas divorcer. «Pour l'amour des enfants», disait-elle. Je n'ai pas divorcé, mais à partir de ce moment-là, rien n'a plus été pareil.

Pour commencer, j'ai maigri. Enfin. Mon père attendait l'ascenseur avec moi le jour où j'ai quitté l'hôpital avec ton frère nouveau-né. Au moment d'y entrer, il a regardé mon derrière et a dit: «As-tu l'intention de perdre du poids maintenant, Ruthie?» J'avais tellement honte de moi-même. (L'idée ne m'a jamais effleurée de me fâcher contre lui pour avoir regardé mon derrière; à l'époque, on ne se fâchait pas contre ses parents.) Au moment où l'ascenseur atteignait le rez-de-chaussée, j'ai résolu de perdre du poids, un point c'est tout.

Un autre changement est survenu quand nous avons engagé Anne pour prendre soin de toi et de ton frère. Je me suis mise à sortir avec mes amies et à aller dans les bars. Je rencontrais des hommes qui me complimentaient sur ma beauté. J'obtenais l'attention que je désirais depuis des années.

J'ai eu ma première aventure amoureuse quand tu avais douze ans. Après cela, il y avait souvent un autre homme que ton père dans ma vie.

Je gagnai un frère, que je n'avais pas demandé et dont je ne voulais pas, et perdis une mère. Aller à elle, c'était comme foncer dans un mur. Elle était là sans y être, toujours impatiente, morte d'ennui, attendant sans cesse le moment où elle pourrait s'évader. Elle exsudait le ressentiment comme la pluie chaude grésille sur le trottoir.

Je savais au moins cela quand j'avais quatre ans: elle ne voulait pas être là où elle était. Elle était jeune et séduisante avec ses ongles longs et vernis, ses pommettes hautes, et elle voulait que les voleurs qui lui avaient ravi sa vie — les enfants qui étaient accrochés à son cœur, le mari qu'elle n'aimait pas — la lui rendent.

À l'âge de vingt ans, j'étais au moins certaine d'une chose: je ne serais jamais dans la même position que ma mère. Jamais je ne me laisserais coincer par des enfants et un mari. Les enfants vous liaient les mains derrière le dos, étaient des boulets attachés à vos pieds. Ils vous empêchaient de vivre votre vie, d'*avoir* une vie. Un mari construisait la cage dans laquelle vous viviez avec les enfants, puis il partait en emportant la clé avec lui.

Comme il me semblait que mon père détenait le pouvoir, l'argent, la clé de la cage, je m'identifiai à lui. À son sens de l'humour et à son ambition. À son succès et à son attitude sexiste. Il me harcelait, me critiquait, m'inondait de tendresse, me retirait son amour quand j'avais de mauvaises notes à l'école. Si je rapportais un bulletin comportant presque uniquement des A et un seul B, il l'étudiait quelques instants, puis retirait ses lunettes et disait: «Comment expliques-tu ce B?»

Mon père voulait que son premier-né soit un fils et quand je naquis, il resta trois jours sans adresser la parole à ma mère. Mais l'histoire veut qu'ensuite, il tomba amoureux de mon sourire édenté et de l'odeur de poudre, de sommeil et d'étoiles du bébé à la peau rose que j'étais. Il se précipitait dans ma chambre en rentrant le soir. «Avant même de m'embrasser, raconte ma mère, il allait te voir.» Quand mon frère vint au monde, mon père n'avait pas besoin d'un fils pour réaliser ses rêves. Je lui ressemblais en tout, ayant hérité de ses yeux, de sa bouche, de son nez, de la forme de son visage; j'étais en passe de devenir le fils qu'il avait toujours voulu avoir.

Quand je lui remis la clé de Phi Beta Kappa*, je songeai *in petto*: «Ceci, je l'ai fait pour toi, papa. Tout le reste, je le ferai pour moi.» Ce n'est pas vrai, cependant. J'essaie encore d'obtenir un dernier A, je ne veux toujours pas ressembler à ma mère.

Ou à n'importe quelle mère.

Nous fuyons ce qui est éternel quand nous nous fuyons nous-mêmes; pour nos manquements à la vérité, nous demandons une vision claire:

Pour les fois où j'ai fait la sourde oreille aux pleurs des enfants;

Et pour les fois où j'ai cru que j'étais seule et qu'il ne servait à rien de me tourner vers les autres;

Et pour les fois où j'ai cru que mon sentiment temporaire d'impuissance durerait toujours.

En évoquant cette douleur, je la ressens, la guéris et m'engage à la remplacer par de la joie au cours de l'année qui vient.

Matt, adossé à l'arbre, les yeux fermés, garde le silence. Une toile d'araignée intacte est suspendue entre deux branches de l'arbre: le chant d'une alouette cornue résonne dans l'air. Cette histoire d'enfant intérieur commence à me paraître ancienne et surutilisée. Peu m'importerait qu'on s'en serve comme d'un tremplin vers la guérison, si les gens croyaient qu'à un certain

---

* Société nationale américaine fondée en 1776, dont les membres, nommés à vie, sont généralement choisis parmi les étudiants du premier cycle universitaire ayant été reçus avec une mention académique. (*N.d.T.*)

moment, leur enfant intérieur s'intégrera aux adultes qu'ils sont devenus. D'une part, l'idée qu'il y aura toujours en nous un enfant intérieur qui ne grandira jamais me paraît contraire à l'idée de croissance et de transformation. Elle glorifie l'acte de s'accrocher pour toujours à ses blessures.

D'autre part, il est impossible d'intégrer une chose que l'on nie, et puisque nous sommes si nombreux à être prisonniers de notre passé, entrer en contact avec la partie de nous-mêmes qui est terrifiée à l'idée de grandir est une étape qui ne peut pas être sautée ni transcendée.

L'image de Sophie, qui prenait part à mon dernier atelier, s'impose à mon esprit. Elle raconte que durant la visualisation où il faut se tenir devant son père et sa mère, et se voir grosse, puis mince, elle a compris qu'elle devait rester grosse pour être proche de sa mère. Elle pleure tellement fort qu'elle en perd le souffle.

«Je ne veux pas perdre ma mère, dit-elle, mais je ne veux pas être grosse pour le restant de mes jours non plus.»

Elle décrit sa mère: cent kilos, malheureuse dans son mariage avec le beau-père de Sophie, pas de travail à elle, un fils distant qui vit à l'autre bout du pays. Sophie est sa meilleure amie; elles mangent ensemble, s'empiffrent ensemble, s'apitoient ensemble sur leurs rondeurs.

— Je ne veux pas la laisser derrière, affirme Sophie. Si je maigris, que ressentira-t-elle face à elle-même? Face à moi?

«Le pire, poursuit-elle à travers ses sanglots, c'est que je suis en train de transmettre cela à ma fille de six ans. Déjà, elle couvre son assiette d'une serviette pour m'empêcher de manger ce qu'elle a laissé. Je la force à manger ses carottes tandis que je bouffe des biscuits à l'avoine et des croustilles pour dîner. J'ai l'impression qu'en m'efforçant de ne pas perdre ma mère, je suis en train de perdre ma fille.»

Je lui dis que je comprends son dilemme. Si la souffrance est votre principal lien avec quelqu'un, il est très difficile de modifier les conditions du contrat. Vous ignorez ce que vous risquez de perdre. Et si cette personne est votre mère, et que c'est au sein de cette relation que se sont forgés votre sentiment d'identité et votre estime de vous-même, la perspective de perdre celle-ci peut paraître intolérable.

Une autre femme se lève, rejoint Sophie, raconte qu'elle a l'impression que c'est surtout en restant grosses que les femmes se gardent petites. Trois cent cinquante femmes font oui de la tête, nous nous gardons petites en faisant tout pour rester grosses.

Je demande au groupe: De quelles autres façons vous gardez-vous petites?

Elles répondent:

Nous mangeons au point de nous rendre malheureuses.

Nous axons notre vie sur la nourriture et sur notre poids.

Nous partageons nos échecs, pas nos succès.

Nous nous plaignons quand nous avons envie d'exulter.

Nous avons l'impression que notre bonheur constituera une menace pour les autres.

Nous perpétuons avec nous-mêmes la relation que nous avions avec notre mère.

Nous avons l'impression que notre vie ne peut pas aller plus loin que celle de notre mère.

Nous croyons que nous n'avons pas le droit d'avoir plus que ce qu'elle a eu.

♥

J'ai quatre ans, et la souffrance de ma mère est comme un boulet dans ma poitrine. Je veux la rendre heureuse, mais j'ignore quoi faire. Elle n'aime pas mon père. Quand je suis avec elle, elle prétend que je n'aime pas mon père non plus. Je cache les présents qu'il m'offre, le cœur en chocolat, la poupée japonaise miniature. Je meurs d'envie d'être avec lui — les seuls moments où je suis heureuse — mais je me sens coupable parce qu'il me rend heureuse et la rend malheureuse. Comme je veux souffrir avec ma mère, j'apprends à être déprimée. J'apprends aussi à être d'accord avec son image de moi-même (exigeante, égoïste, bruyante); alors au moins, nous sommes du même côté.

J'ai vingt-trois ans et je suis en visite chez ma grand-mère maternelle. Elle me dit à quel point elle est fière de ma mère parce qu'elle est mince. Elle affirme que ma mère est très belle et a tout ce qu'une femme peut désirer: un mari et deux enfants.

— Elle n'a pas de travail, dis-je. Elle ne se rend pas compte qu'elle est bourrée de talents. Elle n'a aucune activité sur laquelle concentrer son énergie.

— Du travail, rétorque ma grand-mère, qui a besoin de cela? Le monde tourne autour d'une bitte bien dure, ma fille, et non du travail des femmes.

J'ai trente ans, et ma mère et moi bavardons au téléphone.

— Quand vas-tu cesser de parcourir le pays et te fixer, te marier, avoir des enfants? me demande ma mère.

— Des enfants? Pourquoi voudrais-je avoir des enfants?

— Les enfants sont la plus grande bénédiction de la vie, reprend ma mère. Rien de ce que tu feras ne t'apportera autant de joie qu'un enfant.

— Ta vie n'était pas si gaie que ça, maman.

J'ai quarante-trois ans, et mon amie Meredith lit la première ébauche de ce livre-ci.

— La personne que tu dépeins dans ton livre souffre constamment. Tu ne donnes pas une image complète de toi-même, tu laisses de côté la plénitude de ta vie. Pourquoi?

Parce que ce n'est pas bien. Parce que les gens n'aiment pas les vantards. Parce que si je suis rassasiée, cela veut dire que quelqu'un d'autre n'en a pas assez, donc c'est mal d'être rassasiée.

— Je ne veux pas perdre ma mère, répète Sophie.

J'acquiesce d'un signe de tête. Je ne veux pas perdre ma mère non plus.

Mais la vérité, c'est qu'on ne peut pas perdre quelqu'un qui est déjà perdu. J'ai perdu ma mère quand elle a décidé qu'elle reprendrait les années perdues au lieu d'être une mère. Sophie a perdu sa mère dans un océan de nourriture et d'absence d'amour. Quand sa mère choisissait de manger plutôt que de sentir, Sophie ne pouvait rien faire. Nous perdons nos mères quand elles se perdent elles-mêmes et il n'y a rien alors que nous puissions faire.

On ne peut pas retrouver quelqu'un qui veut être perdu. On ne peut pas retrouver une personne tant qu'elle ne se trouve pas elle-même. Au mieux, on peut mettre en veilleuse sa propre vitalité et nager dans sa tristesse avec elle. La plupart d'entre nous choisissent (et continuent de choisir) ce genre de rapport, et nous appelons cela être en vie: nous nous diminuons afin de ne pas perdre une personne que nous n'avons jamais eue; nous faisons en sorte de rester petites afin que personne ne se sente menacé; nous nous tournons vers la nourriture dès l'instant où nous sommes heureuses afin de détruire notre sentiment de bien-être; nous trouvons quelque chose qui cloche dans tout ce qui est bon; nous mentons à nos amies en ne partageant pas l'immensité de nos joies et de nos victoires; nous nous sentons menacées par les succès des autres femmes.

Je demande aux femmes de l'atelier: Quel est l'avantage de rester petite?

Qu'est-ce qui serait secoué et que perdrions-nous si nous nous permettions de vivre sur un grand pied?

Pourquoi est-il embarrassant d'être riche?

Nous nions ce qui est éternel quand nous nions notre profondeur.

Nous cherchons aujourd'hui à exprimer, à exposer au grand jour, à nos larmes et à nos rires les mauvaises actions que nous avons commises avec notre corps et notre âme.

Nous ne vivons pas dans le moment présent mais sommes toujours ailleurs, en train de nous ronger les sangs.

Nous n'osons pas jouer.

Nous nous concentrons seulement sur nos lacunes et non sur notre force et notre beauté...

Pourquoi ai-je l'impression que je *n'ai pas le droit* de vivre sur un grand pied?

J'aimais ma mère plus que tout au monde. Elle était comme une apparition dorée avec ses cheveux blonds, ses vêtements soyeux et son odeur de fleurs, et j'aurais fait n'importe quoi pour elle: réprimer ma joie était un acte bénin comparé à l'amour que je ressentais, à mon désir d'enrouler mon âme autour de la sienne. À quatre ans, être déprimée était un acte de compassion envers une mère malheureuse. À quarante-trois ans, être déprimée est une habitude que j'ai affinée au point d'en faire un art.

Je constate que, quand je parle à ma mère, je parle toujours de ce qui ne va pas. Je dis que je me sens grosse ou confuse ou fatiguée. Je m'aperçois aussi que, à mes amies, je raconte mes incertitudes et non mes victoires, ma souffrance et non ma joie. Il ne me viendrait jamais à l'esprit de dire: «Je suis très satisfaite de ce que j'ai écrit aujourd'hui.» Au lieu de cela, je dis: «Je n'ai pas beaucoup dormi la nuit dernière et c'est exténuant d'écrire sous pression.» Non que cela soit faux, c'est juste que ce n'est pas la vérité tout entière ni même la principale vérité. C'est une partie de la vérité, simple affluent d'une rivière rugissante. Mais rugir n'est ni féminin, ni correct, ni modeste.

Qu'est-ce que cela a à voir avec le fait d'avoir un enfant?

Avoir un enfant m'obligerait à cesser d'être un bébé, c'est-à-dire cesser d'être une enfant qui vit dans la terreur de perdre sa mère.

Comme je ne suis pas prête à la perdre, je continue de croire que je lui ressemble en tous points. Je me sens coincée par tout événement ou personne qui veut quelque chose de moi. M'identifier à ma mère signifie vivre avec un cœur torturé, croire qu'un avenir meilleur m'attend au tournant et que ce que j'ai maintenant n'est pas suffisant.

Je n'ai pas de meilleur moyen d'être proche de ma mère que de me glisser dans sa peau. De sentir qu'elle est moi et que je suis elle et que, si j'ai un enfant, je vivrai comme un animal traqué, un animal en cage, ferai les cent pas et me conduirai envers ma fille comme ma mère s'est conduite envers moi. Avoir un enfant signifie manquer de loyauté à la souffrance de ma mère dans son rôle de parent. Cela signifie croire que les choses pourraient être différentes pour moi.

Pour les bénédictions que j'ai perdues parce que je n'ai pas cru en moi-même;
Et pour les bénédictions que j'ai perdues parce que je n'ai pas fait confiance aux autres;
Pour avoir retenu mon amour et mon soutien;
Et pour avoir jugé les autres et m'être jugée moi-même.
Pour avoir cru que j'épuiserais mon amour si j'en donnais trop aux autres.
Et pour avoir douté de ma capacité d'aimer et d'être aimée des autres.

♥

Il est treize heures, et je suis aussi affamée que grincheuse. Je commence à penser que les personnes qui sont malades depuis trois ans ne sont pas tenues de jeûner à *Yom Kippour,* que jeûner me rendra affreusement malade. Peut-être aurai-je une crise d'hypoglycémie, et Matt sera obligé de m'emmener d'urgence hors de l'île et à l'hôpital. Dieu comprendra si je mange, me dis-je, tandis qu'un morceau de pain à la cannelle enduit de beurre d'amandes et couvert de tranches de banane flotte jusqu'à ma conscience.

Nous brossons nos vêtements et pénétrons dans une pinède très dense; nous apercevons des billots couverts de mousse vert émeraude et des tamias couleur de gland dont la queue s'agite brusquement vers le haut, vers le bas et de côté chaque fois qu'ils pépient parce que nous les dérangeons. Nous atteignons une clairière; je dis à Matt que je veux m'asseoir, car mes jambes sont fatiguées. Nous avions prévu parcourir six kilomètres sur un sentier qui longe le côté de la montagne, plonge dans une forêt enchantée et tachetée de soleil, et aboutit à un belvédère donnant sur le détroit de Puget, le mont Baker et les Cascades. En ce moment, toutefois, les montagnes aux sommets enneigées ressemblent à des cornets de glace à la vanille et les nuages, à des pommes mousseline. Toute prétention à la sainteté s'est enfuie de mon corps et j'ai si faim que je suis sur le point de délirer. Je décide donc de m'asseoir et d'inspirer profondément. De me rappeler que les gens privés de logement et de nourriture éprouvent ce sentiment chaque jour que Dieu amène. De me rappeler que des millions de Juifs se sentent sans doute comme moi en ce moment même. (Ou encore, s'ils se trouvent en Israël, où ils ont dix heures d'avance sur nous, ils rompent en ce moment leur jeûne avec des pommes et du miel, des patates douces et du poulet rôti. Du *challah** avec de grosses noix de beurre...)

«Inutile d'aller plus loin, dit Matt. Asseyons-nous et regardons les montagnes, observons les oiseaux. Peut-être que les aigles sont revenus.» Nous trouvons un gros rocher qui présente un rebord plat. C'est là, après la prochaine courbe, passé un étang à nénuphars et un pré d'herbes ondulantes, que Matt m'a demandé de l'épouser il y a cinq ans.

Mon estomac gargouille, est perturbé. Je regarde mon mari: il cherche des aigles dans le ciel.

S'il y a des cages dans ce mariage, c'est moi qui les ai construites. Et moi qui en possède les clés.

Matt est un sentier qui zigzague à travers la campagne; moi, un labyrinthe avec de faux départs et des corridors aux murs recouverts de miroirs. Il est facile à vivre et se réveille en riant; je suis intense et ne me suis jamais réveillée en riant de toute ma vie. Notre mariage est une courtepointe d'extrêmes. Nous nous querellons au sujet de son optimisme (que j'appelle déni) et de ma tendance à l'introspection (qu'il traite de complaisance). Et nous nous disputons au sujet du temps, de l'argent, du sexe,

---

* Se prononce «hallah». Pain aux œufs torsadé consommé traditionnellement par les Juifs. *(N.d.T.)*

des amis, du travail. Mais notre mariage n'est pas celui de mes parents et je ne suis pas ma mère.

La sensation de faim s'intensifie à l'intérieur de moi, sorte de contrepoint à ce que j'ai mangé hier soir, à ce que je mangerai ce soir, à l'abondance débordante de ma vie. Au fait que je ne suis pas dans la rue en train de mendier mon prochain repas. Ma faim est réelle, contrairement à la faim fantôme qui découle de l'insuffisance perpétuelle de ce que l'on a ou est. De ma quête interminable de B au milieu d'une corne d'abondance remplie de A.

Je pourrais passer le reste de ma vie à chercher des B, comme un archéologue creuse pour trouver des os. Comme j'avais l'habitude de chercher les Nina.

Le dimanche matin, mon père nous refilait la bande dessinée Hirschfeld de la section des arts et loisirs du journal. Mon frère et moi nous bousculions, car c'était à qui trouverait le plus de Nina. Hirschfeld avait une fille répondant au nom de Nina et, à côté de sa signature, posée à l'angle inférieur droit, il inscrivait le nombre de fois où le nom de celle-ci apparaissait dans la bande dessinée. Parfois les Nina vous sautaient à la figure, épousant le contour d'une chevelure ou le rebord d'un vêtement. Mais le plus souvent, ils étaient si judicieusement placés qu'il était impossible de trouver le ou les deux derniers. Au bout d'un moment, nos yeux chauffaient à force de scruter la complexité des manches, collets, ongles, boucles de ceinture, et nous étions forcés d'arrêter. Mais je ne déclarais jamais forfait. Je gardais le dessin sur mon bureau, le parcourant des yeux quelques fois par jour, et je finissais toujours par trouver le dernier Nina. Mais on était déjà mardi et les autres s'en fichaient. Ils étaient occupés à vivre leur vie.

Personne parmi ceux que j'aime ne se soucie des B. Mon père a depuis longtemps retiré ses lunettes et Matt cherche des aigles. Je pourrais continuer à traquer mes insuffisances. Je pourrais rester paralysée en voyant à quel point je ressemble à ma mère ou me rendre compte que dimanche est passé, qu'on est maintenant mardi et qu'il est temps que je vive ma vie.

Les montagnes ne s'écrouleront pas, le ciel ne virera pas au noir et Dieu ne me punira pas si je me sens bien, heureuse, si je m'amuse. Souffrir n'a rien d'admirable. La douleur n'est pas noble. Ce n'est pas en me mettant en pièces que je vais me construire.

La souffrance vaut uniquement pour ce à quoi elle vous mène; elle n'est pas censée être un mode de vie.

Je m'en suis servie comme d'une protection:

Si je connais l'ampleur de mes torts, je souffrirai moins lorsque tu cesseras de m'aimer.

Si je supprime la joie dans ma vie, tu ne pourras pas me l'enlever.

Si je m'empêche de t'aimer de tout mon cœur, je ne serai pas anéantie lorsqu'un coup de téléphone nocturne m'apprendra ta mort.

Si je n'ai pas d'enfant, je ne pourrai pas être une mère affreuse.

Ce n'est pas la souffrance qui m'effraie; c'est la joie. Mais on est mardi maintenant et la seconde moitié de ma vie s'étend devant moi. Le moment est venu de courir un risque.

Je n'ai plus besoin d'être fidèle à la souffrance de ma mère. Si elle n'est pas satisfaite malgré la richesse de sa vie, j'ai quand même le droit de me réjouir follement et avec exubérance de ce que je possède. Si ses enfants étaient des boulets qu'elle traînait aux pieds, les miens pourraient donner des ailes arachnéennes aux miens.

J'ai le choix.

Je ne me briserai pas si Matt meurt, mais je me briserai s'il meurt et que je me suis empêchée de l'aimer. La blessure qu'entraînent les critiques concernant mes livres est bénigne comparée aux tourments que j'endurerais en ne les écrivant pas. Et la seule chose qui est plus terrifiante que sauter le pas et avoir des enfants, ou se lancer tête baissée dans tout ce qui nous effraie, c'est de ne pas sauter. Arriver au bout de sa vie et dire: «J'ai vécu sans me connaître moi-même», voilà le plus grand risque.

Et de nouveau, je me rappelle:
mon refus de m'engager;
mon refus d'aimer;
mon refus de voir le côté humoristique des choses.

Me rappelle sans cesse ce que dit le Talmud: je devrai rendre des comptes pour tous les plaisirs permis que j'aurai refusé de goûter.

En ce jour du grand pardon, en cette nouvelle année juive de 5755, je demande pardon pour avoir tourné le dos aux A de ma vie, aux joies quotidiennes que m'apporte la vie avec Matt, au plaisir de transformer des mots en livres. Les montagnes de crème glacée, la mousse vert émeraude. Le gargouillement de la faim dans mon estomac. Mon corps qui n'a pas déclaré forfait, malgré des années de régimes composés d'œufs durs et d'épinards.

En nommant ces bénédictions perdues, je laisse aller les regrets et l'amertume, je reconnais le caractère inépuisable des bénédictions de la vie et jure d'être ouverte à celles qui me seront données au cours de l'année qui vient.

J'adresse une prière à Dieu, aux montagnes, aux aigles, à la Terre: s'il existe là-haut une âme qui me connaît et me veut quand même pour mère, c'est un petit être tenace, et je l'attends les bras ouverts et des ailes arachnéennes aux pieds.

CHAPITRE SEPT

DES VIES PARALLÈLES,
SECONDE PARTIE:
À PROPOS DU BONHEUR ET DE LA JOIE

M att et moi entrons dans le cabinet de l'acupuncteur. Matt s'installe dans un fauteuil recouvert de vinyle déchiré; j'en choisis un rembourré d'épais coussins rouges et prends sur la table un livre qui traite de l'utilisation des médecines naturelles pour nos animaux familiers. Dans le chapitre sur la communication, l'auteur écrit que l'on peut converser avec son chien ou son chat. Elle affirme que l'on peut leur poser des questions du genre «Que dirais-tu d'une glace pour dîner?» ou «Où étais-tu avant d'être recueilli par la société protectrice des animaux?» Selon elle, si nous calmons notre mental et communiquons à l'animal des images visuelles, il nous répondra aussi avec des images.

Je me vois envoyant des images à Blanche, notre chat. Je lui demanderais à quoi il pense toute la journée et il me transmettrait l'image d'un gros thon. «Écoute ceci», dis-je à Matt, mais à cet instant, la porte s'ouvre et l'acupuncteur pénètre dans la salle.

Elle porte un chemisier bleu sarcelle imprimé de sous-marins jaunes. Ses cheveux taillés à la garçonne se dressent en épis sur le dessus de sa tête.

— Comment va notre patient aujourd'hui? demande-t-elle.

— Un peu grognon, réponds-je.

Le docteur jette un coup d'œil dans la cage. «Monsieur Blanche?»

Matt et moi nous dirigeons vers la table où se trouve la cage. J'ouvre la porte grillagée.

— Allons viens, Blanche. Tu dois sortir et voir le docteur.

Il me fusille du regard. Je lui transmets une image le représentant en train de sortir de la cage. Il s'accroupit, replie ses pattes sous lui, me lance un autre regard furieux. Je lui expédie une nouvelle image.

— Geneen, intervient Matt. Pourquoi le dévisages-tu ainsi? Tiens l'arrière de la boîte et aide-moi à le tirer de là.

— J'essayais de lui parler avec des images, réponds-je en retournant la cage puisque la gravité est la seule force assez puissante pour déplacer Blanche.

Matt feint d'ignorer ma remarque. Pendant que je tiens la cage, il tire sur Blanche. Tire d'un coup sec sur ses deux pattes d'en avant. Le reste de son corps, qui pèse dix kilos, suit de mauvais gré. Sasha, ma petite amie de neuf ans, dit que Blanche ressemble à un nuage «parce qu'il est blanc et gros et n'en finit plus». Un ami de Matt le compare à un agneau parce que sa fourrure boucle sur sa poitrine. Pour ma part, je trouve qu'il ressemble au chat en peluche que ma mère m'a offert quand j'avais huit ans; il était blanc et soyeux avec des yeux bleus et un ruban rouge. Mais tandis que le chat de peluche avait des yeux de porcelaine et une queue mince, Blanche louche et a une queue aussi fournie que l'herbe des pampas. Et si le chat en peluche se niche parfaitement au creux de mon bras, Blanche, lorsqu'il est étendu sur notre courtepointe, occupe un tiers du lit. S'il s'endort sur mon bras (pas sous mon bras ni au creux de mon bras), je dois ensuite secouer celui-ci pendant dix minutes pour en activer la circulation. Blanche ne passe pas inaperçu — auprès des amis, du plombier, des livreurs; quand il entre dans une pièce, on ne peut faire autrement qu'interrompre ses activités pour le regarder.

Blanche est un événement en soi.

Il y a quelques années, je voulais changer son nom et l'appeler Papillon, mais ma mère m'a fait observer qu'il ressemblait davantage à un orignal qu'à un papillon. De toute façon, a-t-elle ajouté, ne serait-il pas confus si on changeait son nom après sept ans? N'est-ce pas suffisamment affreux qu'il porte un nom de fille bien qu'il soit du sexe masculin?

— Laisse-moi t'examiner, Blanche, dit l'acupuncteur.

Blanche nous tourne le dos, fait face au mur et bat deux fois de la queue.

— Content de me voir, comme d'habitude, dit le docteur en saisissant sa mâchoire et en ouvrant sa gueule pour examiner ses dents. Puis, elle écoute son cœur à l'aide de son stéthoscope et nous interroge sur sa vitalité, son appétit. Elle enfonce une rangée d'aiguilles de chaque côté de sa colonne.

— Au fait, s'exclame Matt, comment s'est passée votre conférence? Avez-vous joué du saxophone pour votre public?

Lors de notre dernière visite, elle préparait un discours destiné à un congrès de vétérinaires. Matt l'avait encouragée à jouer du saxophone et à demander à l'auditoire de miauler et de japper.

— Je n'ai pas joué du saxophone mais je leur ai demandé d'imiter les cris de leur animal. Ils ont adoré cela, tous ces hurlements, ces miaulements et ces jappements.

Blanche gronde, jappe, gronde de nouveau.

— C'est le point du foie, affirme le médecin, l'énergie y est stagnante.

— On dirait que l'énergie du foie est toujours stagnante, dis-je. Pourquoi?

Elle lève les sourcils et, montrant du doigt le physique généreux de Blanche, déclare: «C'est à cause de son *poids,* Geneen, de son *poids.*»

Ah! son poids.

On ne peut pas nier que Blanche soit très gros, encore que le plus gros chat du monde, selon le *Livre Guinness des records,* pèse vingt kilos. Et mon éditeur m'a déjà envoyé un article au sujet d'un chat de trente-quatre kilos qui avait terrorisé puis dévoré deux chihuahuas.

Il est vrai aussi qu'en général, les gens qui voient Blanche pour la première fois s'exclament: «Oh! mon Dieu! Qu'est-ce que c'est que *ça?* Ça ne peut pas être un chat...» ou «C'est la plus grosse créature que j'aie jamais vue.» Offensé, Matt réplique souvent: «Gros? Comparé à quoi? Blanche est *petit* comparé à la plupart des animaux...» Puis il se baisse et frotte les oreilles de Blanche pour montrer que Blanche est petit comparé à un cheval, par exemple. Ou à une vache.

Quand les visiteurs ont fini de s'exclamer à propos de la taille de Blanche, ils offrent des suggestions destinées à réduire celle-ci. «Hé! Geneen, pourquoi ne donnes-tu pas à Blanche un de tes livres à lire? Ha! ha! ha!» Et l'inévitable: «As-tu déjà pensé à animer des groupes sur la compulsion à manger à l'intention des chats? Ha! ha! ha!» Ils croient tous être les premiers à faire le lien entre mes livres et mon chat.

La semaine dernière, ma cousine Lily était en visite.

— Comment se fait-il que tu aies le plus gros chat du monde? Il n'y a pas de hasard, tu sais. Blanche est gros parce que tu es mince...

Je songe à mon amie Sabrina qui m'a raconté que, quand elle était jeune et suivait des régimes, elle obligeait son frère à manger tous les aliments qui lui étaient défendus. Si elle voulait du gâteau au fromage, elle le soudoyait pour qu'il s'assoie avec elle et mange du gâteau pendant qu'elle-même avalait son fromage cottage. Pendant des semaines, son frère enfourna des biscuits au chocolat et à la guimauve pendant qu'elle se nourrissait de tomates et de pain grillé. Le jour où elle eut envie d'un chocolat au lait malté, qu'il but, puis exigea qu'il mange un sandwich à la saucisse et aux piments garni de mayonnaise, de ketchup et de cornichons sucrés, il mit fin au jeu.

En autant que je sache, je n'ai pas agi ainsi avec Blanche. Certes, je l'ai peut-être fait inconsciemment, puisque l'inconscience et la nourriture sont aussi liées dans mon esprit que le fromage à la crème et la confiture. J'ai revécu son enfance de chat, fouillé les moindres recoins de mon cerveau pour connaître ses arrière-pensées, détecter ses comportements passifs-agressifs. Je me suis demandé s'il s'agissait là d'un cas de «chat manifestant l'inconscient de sa mère», mais la vérité, c'est que je ne comprends pas comment il est devenu aussi grand. Aussi euh... gros.

D'accord, j'ai peut-être forcé sur les aliments pour bébés et les sardines séchées, mais c'était il y a neuf ans. C'était un chaton souffreteux, qui attrapait toujours un rhume ou la fièvre, refusait de manger et *adorait* les aliments pour bébés. Comment aurais-je pu les lui refuser? Il se peut que le pain de seigle germé, les courges Butternut, les patates douces, le maïs, les pommes mousseline, le thon, le poulet et le cantaloup que je lui donne ne l'aident pas à maigrir, mais en prenant une petite bouchée par-ci, une miette par-là, il dépense sans doute plus de calories à mâcher la nourriture qu'il n'en accumule. En outre, Blanche n'est pas un mangeur compulsif. Il serait plutôt un mangeur délicat et éclairé. Hier soir, Matt a voulu lui montrer à manger du maïs en épi, mais Blanche n'arrivait pas à serrer suffisamment les pattes pour tenir l'épi, de sorte que Matt a fini par détacher cinq ou six grains à la fois qu'il offrait à Blanche dans sa main. Après quelques tours, Blanche en a eu assez: il a viré les pattes et s'en est allé dans le salon. Il mange quand il a faim, s'arrête quand il est rassasié, saute ses repas quand il a peur, est excité, inquiet, malade ou se sent seul. Quand on mange de cette façon, on atteint son poids naturel. La seule conclusion sensée, c'est que Blanche a atteint son poids naturel et il se trouve que celui-ci est élevé.

Quand je raconte cela à mon amie Sally, qui m'a refilé Blanche sous prétexte qu'il était temps pour moi d'avoir un chat et a gardé ses seuls parents vivants — une sœur et une mère —, elle souligne qu'il est issu d'une lignée de chats minces et légers qui pesaient environ trois kilos. Elle affirme qu'elle-même ne s'est jamais déplacé une vertèbre en soulevant *ses* chats, et que je devrais donc reconsidérer ma théorie sur le poids naturel. Je réplique que les chattes sont plus petites que les chats et que la plupart des génies sont différents du reste de leur famille. Prenez Einstein, par exemple. Ou Arnold Schwarzenegger.

J'observe Blanche attentivement pour détecter tout signe de timidité au sujet de son poids. Je réfléchis au fait que nous devons acheter sa cage au rayon des gros animaux de l'animalerie. Au fait que, quand il franchit sa chatière, il a toujours un moment d'hésitation une fois la tête et les pattes passées, tandis que le reste de son corps, le bas de la pyramide, se trouve encore de l'autre côté. Il hésite. Je retiens mon souffle. Puis il lève enfin les pattes de derrière, pousse le rabat de plastique et apparaît dans la maison. J'applaudis son intelligence, son agilité, le traite de génie félin. Blanche me regarde d'un air dégoûté comme pour dire: «N'as-tu donc rien de mieux à faire? N'es-tu pas censée écrire un livre?»

Il n'a aucune pudeur. À propos de ses besoins, de ses petites manies. Son poids. Un jour, il est tombé dans le jacuzzi parce qu'en voulant sauter sur le rebord, il a raté sa cible. S'étant laissé repêcher, il s'est secoué, nous a regardées avec commisération (Sally pleurait de rire) parce que nous étions coincées dans une cuve d'eau chaude et s'est dirigé à petits pas vers le patio.

Son poids ne l'empêche pas de grimper aux arbres, de se faufiler dans des sacs-repas en papier, de dormir dans des tiroirs qui font la moitié de sa taille. De demander de l'attention, de l'affection et, s'il ne les obtient pas, de les exiger — en marchant sur le clavier d'ordinateur et en mettant son poids sur la lettre A, en s'installant sur ma poitrine quand je dors, une patte en travers de mon visage.

Depuis que j'ai lu ce livre dans le cabinet de l'acupuncteur, j'essaie d'envoyer des images à Blanche. L'auteur affirme que si vous partez, disons, pour trois jours, vous devriez regarder votre chat et imaginer le passage des trois jours et des trois nuits, afin qu'il sache à quel moment vous serez de retour. Je le fais, mais j'ai l'impression de parler le langage de quelqu'un d'autre, pas celui de Blanche et moi.

Nous nous parlons déjà. Pas en images discrètes, mais en éclairs de sentiments, en mimiques faciales, en intentions cachées. En autant qu'il soit possible de connaître un animal qui est resté en partie sauvage, de pénétrer le mystère d'un être, je connais Blanche. Je devine sa présence avant de le voir, sais ce qu'il veut avant qu'il le demande. Parce qu'il n'y a pas de mots entre nous, la communication circule le long de rubans de sentiments qui flottent entre lui et moi dans toute la maison, toute la journée.

Les conteurs soutiennent que nous avons tous une âme sœur parmi les animaux. Les sorcières ont leurs «animaux familiers», leurs animaux-totems; moi, j'ai Blanche. Il n'aurait pas pu être différent de ce qu'il est, gracile ou mince. Dans ce cas, il aurait concordé avec mon idée de ce à quoi est censé ressembler mon chat, ce à quoi je suis censée ressembler; dans ce cas, il n'aurait pas fait craquer le litchi de mon cœur.

Son poids représente la carte volante; sa grosseur est tellement saisissante et contraste si fort avec l'obsession de la minceur qui gouverne ma vie. Et parce qu'il défie toutes mes idées sur la taille idéale, parce que son poids est un fait accompli pour lui, une réalité, qu'il ne lui cause ni anxiété ni vacillements et qu'il ne souhaite pas être différent, mon chat me rappelle constamment qu'il existe une vie au-delà des apparences. Que la dignité et la sensualité sont nos droits innés, peu importe notre poids: laper une flaque de soleil, être caressé à l'endroit précis où vous le voulez et aussi longtemps que vous le voulez, jouer pour le simple plaisir de jouer. Et même si je sais qu'il est un chat et que je suis une personne, la continuité de son lien avec l'âme et l'instinct est comme une douce pluie d'été sur mon lit de rivière asséché.

Dernièrement, une amie me parlait d'une femme, docteur en psychologie clinique, qui communique avec les animaux au téléphone. Il suffit de l'appeler, de lui donner le nom de votre animal et sa date de naissance, de le décrire physiquement et d'annoncer quels sujets vous souhaitez qu'elle aborde avec votre animal. Si, par exemple, votre chien est malade, vous le précisez et posez à cette femme toutes les questions que vous voulez sur la durée probable de sa maladie, sur ce dont votre chien a besoin ainsi que sur ce qu'il veut vous enseigner. Mon amie Rianne, qui m'a parlé de cette femme, m'a expliqué qu'une de ses amies dont la chienne, Tofu, était mourante, l'avait consultée. Le docteur lui avait révélé, sur les confidences de la chienne, que celle-ci avait contracté un cancer pour empêcher sa maîtresse de l'attraper. Tofu disait qu'elle avait eu une vie longue et heureuse et ne craignait pas la mort. Elle a en outre révélé au docteur le moment de sa mort — et aux dires de l'amie de Rianne, elle est morte à l'heure dite.

— Pourquoi me racontes-tu cela? ai-je demandé d'un ton soupçonneux.

— Je me suis dit que tu aimerais peut-être parler à Blanche par l'intermédiaire de cette femme.

Toutes mes amies sans exception savent bien que je suis poire quand il s'agit de Blanche. Que je suis crédule et bonasse. L'année dernière, à l'occasion de mon anniversaire, Matt a tourné un vidéo sur Blanche, complet avec effets spéciaux, ouverture et fermeture en fondu, et fondus enchaînés. Il est allé dans un studio où il a loué une machine d'une haute technicité qui lui a permis de monter des heures de film sur Blanche (chez l'acupuncteur, en train de boire de l'eau, de jouer, de marcher, portant son fez rouge) pour obtenir une bande de trois minutes et demie sur fond de musique entraînante.

J'ai demandé à Rianne ce dont Blanche voudrait me parler selon elle.

— De quoi d'autre sinon de son poids, Geneen? Et du lien entre son poids et ton travail.

Ce soir-là, j'ai parlé à Matt de la femme qui communiquait avec les animaux et il m'a regardée comme si j'avais perdu la boule. C'était déjà affreux que je veuille emmener Blanche chez le chiropracteur, mais là je dépassais les bornes. À mots couverts et avec beaucoup de compassion, il m'a conseillé de m'occuper de choses plus importantes.

Sans me laisser démonter, j'ai précisé que le chiropracteur pour chats avait *vraiment aidé* Blanche — qui a cessé de boiter après qu'il lui eut manipulé le cou — et que de toute façon, qui sait ce qui est vrai ou possible? Personne ne pensait que la terre était ronde. Et que dire des scientistes qui conversent avec les dauphins? Et de Koko, le gorille, qui a appris le langage gestuel?

Au cours des quelques semaines qui ont suivi, je me suis surprise à réfléchir à ce que je demanderais à Blanche si je pouvais lui parler. À ce qu'il me répondrait s'il le pouvait. Ce n'est pas tant son poids en soi qui m'intéresse que son acceptation inconditionnelle de son poids. C'est le fait qu'il est ce qu'il est et ne semble pas passer sa vie à vouloir être plus mince. Ou un teckel.

Stephen Levine, qui enseigne la méditation, affirme que l'enfer n'est pas un endroit de tourments où on est puni pour avoir menti, triché ou volé. L'enfer, c'est de vouloir être différent de ce que l'on est ou ailleurs.

Si c'est vrai, et je crois que ça l'est, la plupart d'entre nous passent leur vie en enfer.

♥

Au cours de l'une des phases les moins subtiles et les plus hypocrites de ma vie, j'ai décidé que je ressemblerais à Madonna. Ce n'est pas tant son visage ou ses cheveux qui me tentaient. Ni même son corps en entier. Je voulais avoir ses bras. Ses biceps. Je voulais ressembler à une photographie sur laquelle, vêtue d'une robe noire sans manches, elle étendait les bras, ses biceps luisants témoignant de sa force.

J'ai voulu des muscles pendant des années. Je voulais me prouver à moi-même (aux fantômes dans ma tête, aux garçons de l'école élémentaire, à mon professeur d'anglais et à tous ceux qui s'étaient moqués de moi) que même moi, alias Cuisses-de-cottage et Bras-ailes-de-poulet, pouvais être mince, ferme, musclée. Je voulais me venger comme le veut l'enfant qui imagine que tous ceux qui l'ont blessé pleureront à ses funérailles. Et d'une certaine façon, j'ai réussi à me convaincre (il m'a fallu une grande force de persuasion puisque mon travail est axé sur ce que les femmes s'infligent à elles-mêmes au nom de la minceur et que *Lorsque manger remplace aimer* était à la veille d'être publié) que la musculation était un important passe-temps et que le fait de me fixer un but et de l'atteindre m'apporterait une immense satisfaction. Je me suis persuadée qu'avoir des biceps changerait ma vie d'une manière radicale. Qu'en transformant mon corps, je transformerais ma psyché. Crèverais le nuage où était emmagasiné le bonheur.

Je consultai un entraîneur personnel qui me conseilla de supprimer toutes les graisses de mon régime (même le tofu est trop gras, me dit-elle), de faire des exercices avec des poids deux fois par semaine et de faire six séances hebdomadaires d'aérobie, à raison de soixante minutes par séance. Je relevai le défi et supprimai le beurre, l'huile d'olive et tout aliment gras de mon régime. Je perdis du poids et développai des muscles petits mais notables sur mes bras.

Les fantasmes dans lesquels je me voyais afficher mes muscles à la télévision pendant la tournée publicitaire de *Lorsque manger remplace aimer* furent réduits à néant car le livre parut en février, au moment où des tempêtes de neige affligeant tout le pays m'obligèrent à porter en permanence une combinaison longue.

Un jour où je me trouvais dans un taxi avec ma publiciste après des heures passées à donner des interviews et à courir les magasins, celle-ci me fit la réflexion qu'elle me trouvait mince et gracieuse. Je réfléchis un moment. «L'ennui, répondis-je, c'est que je dois travailler tellement fort pour que mon corps ait l'air de ceci que je n'ai pas l'impression que c'est le mien.»

En faisant mes exercices quotidiens, je me préparais à une vie que je ne mènerais jamais. Je soulevais des barres à disques afin de pouvoir danser sur scène, les jambes et les bras nus, porter des bustiers dans des soirées fabuleuses, paraître à la télévision dans des vêtements qui conviennent mieux à une strip-teaseuse qu'à une auteur. Je voulais avoir des muscles afin de pouvoir combler une autre exigence de ma vie parallèle, de mon monde imaginaire. Si j'avais le corps qu'il fallait, j'aurais la vie qu'il fallait.

Je ne rejette pas l'idée de travailler dur. Écrire des livres, donner des ateliers, entretenir ses relations, tout cela exige du travail. Mais pendant que je m'y adonne, je suis présente, tout à fait engagée dans un processus qui me passionne. Je ne suis pas en train de taper du pied en fixant l'horloge et en attendant d'être excusée et de pouvoir partir.

Certaines femmes aiment soulever des poids.

Je ne suis pas de celles-là.

Je ne rejette pas non plus l'exercice. La plupart des après-midi, après avoir passé la journée à écrire, j'enfile un survêtement et fais une randonnée. Je marche parce que j'ai besoin d'utiliser mon corps après avoir sollicité mon esprit pendant tant d'heures, parce que je veux être au milieu des arbres, parce que j'adore transpirer, faire travailler mes jambes, balancer les bras. Parce que la marche clarifie mon esprit et purifie mon corps. Je ne marche pas pour développer des quadriceps. Le corps que me donne la marche est d'importance secondaire par rapport à la sensualité et au plaisir que me procure l'activité comme telle.

Mon amie Carolyn affirme que soulever des poids la rend euphorique, lui donne le sentiment d'être forte et compétente dans les autres secteurs de sa vie. Je lui dis, bravo, continue de faire ce qui te rend euphorique, mais fais-le *parce que* cela te rend euphorique justement, pas parce que cela te donnera ce que tu penses que tu dois posséder pour être acceptable, pour avoir le droit de vivre ta vie.

♥

Une multiartiste raconte une histoire qui lui vient de Carlos Castaneda, l'auteur des livres sur Don Juan. Sous un pseudonyme, celui-ci travailla pendant toute une année dans une gargote où sa meilleure amie était une serveuse nommée Linda. Ignorant à qui elle avait affaire, Linda offrit à Castaneda les livres sur Don Juan en affirmant qu'elle était une grande admiratrice de l'auteur. Un jour, une limousine blanche se gara à l'arrière du restaurant et on prévint Linda que Castaneda se trouvait à l'intérieur. Elle mourait d'envie de faire sa connaissance, mais avoua à son meilleur ami (Castaneda lui-même) qu'elle se trouvait trop grosse et était certaine que le célèbre auteur l'ignorerait. Ayant été éconduite par l'homme qu'elle prenait pour Castaneda, Linda épancha son chagrin dans les bras du vrai Castaneda qui la consola. Celui-ci la trouvait belle et radieuse.

Elle ne sut jamais qu'elle était aimée et admirée de l'homme dont elle convoitait tant l'amour et l'admiration. Elle n'avait pas besoin de maigrir, de changer sa coiffure, de suivre un atelier; elle était déjà celle qu'elle croyait avoir besoin d'être.

Nous nous bâtissons des vies parallèles en fonction de ce qui, dans notre esprit, nous rendra dignes de mérite, belles, aimées tandis que la vraie chose, notre vie telle qu'elle est, s'étend devant nous, inutilisée, chant non chanté. Nous sommes si convaincues que notre apparence, nos sentiments, nos pensées et nos actions doivent concorder avec ceux de notre vie parallèle que nous ratons le déroulement de chaque instant qui pourrait, enfin, nous satisfaire.

Cette vie parallèle — notre idée de ce qui se passera quand, après le dernier tournant, nous trouverons enfin l'amour, le respect, la visibilité et l'abondance qui nous ont échappé toute notre vie — est la version adulte du désir de l'enfant d'être vu et aimé. Lorsque, enfants, nous nous rendons compte que nous n'obtiendrons pas cet amour, nous fabriquons des histoires, créons une vie imaginaire, tentons d'être différentes. Et si nous croyons que l'amour nous attendra au détour du chemin en autant que nous devenions quelqu'un d'autre, nous passons notre vie à tenter de prendre ce virage.

Cependant, de nombreux obstacles s'opposent à nos efforts pour devenir quelqu'un d'autre.

Le premier tient à l'impossibilité de la chose. Nous ne pouvons pas être quelqu'un d'autre. Le deuxième a trait au fait que peu importe nos efforts, peu importe nos actions merveilleuses, gentilles, sensibles, politiquement correctes et altruistes, ce n'est jamais assez. Il faut mettre les bouchées doubles pour réduire au silence la partie de nous-mêmes qui sait que nos actions sont motivées par la peur de ce qui se passerait si nous renoncions à faire des efforts. Le nous que nous croyons être est toujours tapi dans l'ombre du nous qui essaie d'être aimé.

Le troisième obstacle réside dans le fait que nous ne laissons jamais monter en nous le sentiment d'impuissance que nous causait, lorsque nous étions enfants, notre incapacité de faire quoi que ce soit pour être aimées, vues ou honorées par les nôtres. Quand on est petit, cette sorte de désespoir est trop terrifiant, trop immense pour qu'on veuille le ressentir, de sorte que l'on s'en protège en élaborant des mécanismes de défense compliqués, comme de croire que l'on peut redresser la situation en changeant soi-même. Une fois devenues adultes, nous n'avons plus besoin de ces mécanismes, mais ils sont désormais tellement ancrés en nous qu'ils font partie de «ce que nous sommes». Nous les voyons comme des efforts visant à nous améliorer.

Toutefois, réprimer ses sentiments exige un travail herculéen de sorte que notre vie oscille avec frénésie entre deux extrêmes. Quand nous ne nous mettons pas en quatre pour correspondre à notre idéal d'une personne digne d'estime, quand nous ne sommes pas en train de manger correctement, d'être gentilles et de consacrer tout notre temps aux autres, nous engloutissons tout ce qui nous tombe sous la main et nous nous sentons égoïstes, en colère ou méchantes. Soit nous nous tassons dans la version étriquée d'une conduite acceptable, soit nous fonçons tête baissée dans ce qui nous comprime et nous révoltons contre tout ce qui nous contraint. Ces deux réactions sont des mécanismes de défense qui nous protègent contre notre sentiment d'impuissance original; leur principal objectif est de nous garder en sécurité en nous poussant dans une guerre qui n'a rien à voir avec notre sentiment original. Le problème, c'est que nous oublions qu'il s'agit de mécanismes de défense et nous mettons à croire en leur pouvoir.

Prenons, par exemple, la guerre avec la nourriture et avec notre corps.

Nous oscillons entre les régimes et les crises de boulimie, entre être minces et être grosses, et tout le monde nous croit affligées d'un trouble alimentaire. *Nous-mêmes* en sommes persuadées, mais il n'en est rien.

Notre problème n'est pas lié à la nourriture parce que même si nous maigrissons et demeurons minces pendant cinquante ans, si nous ne nous attaquons pas à la racine du problème, nous conservons l'impression que le bonheur nous attend au détour du chemin, qu'il est lié à notre prochaine réussite. Nous sommes minces, certes, mais nous vivons dans la peur constante d'engraisser et passons notre vie à nous balancer d'un extrême à l'autre. Nous ne nous connaîtrons jamais intimement et ne cesserons jamais de nous harceler.

Notre vrai travail dans cette vie n'a rien à voir avec nos occupations quotidiennes. Notre vrai travail consiste à nous désidentifier des images de nous-mêmes formées il y a toute une vie déjà et sur lesquelles nous continuons de bâtir notre vie quotidienne. Notre tâche véritable est de nous permettre d'être ce que nous sommes déjà et de posséder ce que nous possédons déjà. Elle consiste à être passionnées, saintes, folles, irrévérencieuses, à rire et à pleurer jusqu'à ce que nous éveillions les esprits endormis, jusqu'à ce que notre essence se scinde en deux et que l'univers se précipite dans l'ouverture ainsi créée.

Comment mener cette tâche à bien? Comment concrétiser sa vie rêvée quand on a passé celle-ci à vouloir être différente de ce que l'on est?

En comprenant que plus nous passons de temps à nous construire des vies parallèles, moins nous avons d'énergie à consacrer à notre vie réelle.

En respectant les motifs qui nous poussent à créer cette vie parallèle: le besoin d'être vues, reconnues et honorées dans notre essence la plus profonde et la plus vraie.

En nous autorisant à ressentir, un millimètre à la fois et uniquement avec du soutien, le sentiment d'impuissance original qu'une si grande part de notre activité frénétique sert à masquer.

En nous interrogeant constamment sur ce que nous ressentons: est-ce qu'obtenir ce que nous voulons chasse l'inconfort créé par le désir ou est-ce qu'un nouveau désir vient sans cesse se greffer au précédent?

En honorant notre soif de vivre sur un grand pied, qui peut se traduire par le désir soit de vivre la vie de quelqu'un d'autre soit de mener la vie que nous aurions déjà si nous n'étions pas constamment en train de nous diminuer à nos propres yeux.

En choisissant des modèles de rôle autres que des mannequins ou des comédiennes.

En comprenant que choisir des modèles de rôle parmi des chefs de file, des guérisseurs, des scientistes, des artistes ou des mères n'est pas une solution non plus. Les modèles de rôle sont des exemples de femmes qui vivent pleinement leur *propre* vie; notre tâche consiste à découvrir ce qu'est notre vie puis à la vivre pleinement.

En vivant chaque jour avec la question brûlante qui se cache derrière toute dépendance: Qu'est-ce qui est suffisant?

En comprenant que notre vie se déroule pendant que nous vivons et brûlons avec nos questions. Il n'existe pas de bonne réponse.

En sachant qu'aucun sentiment n'est définitif.

En nous arrêtant chaque fois que nous constatons que nous nous jugeons en fonction des réalisations d'une tierce personne. Les comparaisons sont autodestructrices, épuisantes et fatales.

En comprenant que nous sommes toutes en devenir et que nulle femme, aussi aimée, belle ou riche soit-elle, n'est plus ni moins parfaite que nous. Chaque être humain porte en lui sa blessure, de même que chaque être humain a le droit de parler, d'occuper de l'espace, de vivre richement et magnifiquement.

En prenant conscience que ce que vous faites pour arriver quelque part est ce que vous devenez à l'arrivée. Le cheminement est aussi le but. Vous ne pouvez pas passer votre vie à vouloir être différente et à retrancher les parties de vous-même qui vous déplaisent, puis espérer soudain, une fois votre but atteint, que vous aurez confiance en vous, vous accepterez telle que vous êtes et serez enracinée dans votre être comme un chêne.

Thich Nhat Hanh, maître bouddhiste vietnamien, dit: «Aucun chemin ne mène au bonheur; le bonheur est le chemin.» La seule façon de donner de l'envergure à votre vie consiste à vivre maintenant une vie d'envergure.

On dit que l'on meurt comme on a vécu. Si nous sommes tenaillées par la peur, l'anxiété et les tourments toute notre vie, si nous voulons toujours être ailleurs et différentes, notre mort sera marquée par la peur et ne nous apportera pas la paix. De la même façon, notre vie prend la couleur de chaque minute, de chaque heure et de chaque jour que nous vivons et n'est rien de plus que cela. Si nous la passons à vouloir être différentes de ce que nous sommes, nous ne serons jamais libres.

♥

Je me rends compte en ce moment, chers lecteurs et lectrices, que vos pensées sont à mille lieues de mon chat et que parler de Blanche peut sembler incongru et sans rapport avec le sérieux de notre sujet, mais je vous assure que Blanche est le meilleur exemple qui soit d'un être dénué de toute préoccupation. Mon amie Janet affirme qu'il est son gourou parce qu'«il est ce qu'il est et que cela lui suffit».

Blanche connaît ses priorités et vouloir être différent n'en fait pas partie. Il sait que s'il peut courir, sentir le vent dans sa fourrure et s'asseoir à l'ombre feuillue des arbres, la taille de son corps correspond parfaitement à celle de son esprit. Pour Blanche, les mêmes vieux objets — l'eau qui dégoutte, les fourmis, les stylos à bille, la poussière — sont nouveaux chaque jour; il vit dans un état perpétuel d'acceptation et d'émerveillement. Quand j'ai perdu mes cheveux, mes sourcils et mes cils, son affection à mon égard ne s'est pas démentie. La question qui se pose est donc la suivante: est-ce parce qu'il ne veut pas attirer l'attention sur son apparence qu'il fait aussi peu de cas de la mienne? Accepte-t-il son corps parce qu'il ignore tout des dangers du cholestérol? Affiche-t-il une attitude de déni à l'égard de son physique pyramidal ou fait-il preuve d'une profonde sagesse?

Ces questions, décidai-je, concernaient la spécialiste de la communication avec les animaux, qui avait le pouvoir de s'insinuer dans l'esprit félin. Téléphone en main, Blanche affalé à côté de moi sur le fauteuil à l'imprimé peau de léopard, je rejoignis le docteur qui mit quelques minutes pour se relier à la fréquence de Blanche. Après cinq minutes de silence, elle m'affirma que Blanche était une âme vieille et très sage. Je lui demandai comment elle savait cela en espérant que Blanche ne se soit pas vanté. Elle répondit qu'à force de parler aux animaux, elle avait fini par pouvoir distinguer les vieilles âmes des nouvelles. «C'est sa façon de méditer», ajouta-t-elle.

Je lui dis que Blanche était un illusionniste et qu'il a souvent l'air de méditer parce qu'il louche. Puis je la priai de l'interroger au sujet de son poids. Blanche marmonna quelques mots par lesquels il m'invitait à respecter mon corps, à bien le traiter et à ne pas m'inquiéter autant au sujet de mon alimentation.

— Oubliez *mon* corps, dis-je. Pourriez-vous l'interroger sur son corps à lui? Pourquoi est-il si gros?

Visiblement exaspérée par l'attention que je portais à cette manifestation superficielle de l'âme de Blanche, le docteur me proposa de parler de méditation avec Blanche parce que c'est cela qu'il voulait m'enseigner. Je répondis que je ne voulais pas parler de méditation, je voulais parler d'obésité.

Le problème, c'était que Blanche ne se trouvait pas gros. Quand le docteur l'interrogea sur son poids, il répondit qu'il n'y accordait guère d'attention et m'invitait à l'imiter.

La demi-heure de notre rendez-vous était écoulée. Le docteur devait se rendre au zoo pour parler à un éléphant qui refusait de se nourrir. Je la remerciai, raccrochai et ramenai mon attention vers Blanche qui était étendu sur le dos, les pattes en l'air, extatique et inconscient de mes efforts pour prêter une signification à son poids.

Peut-être que ce n'est pas Blanche qui est si bizarre, mais le fait que je l'aime comme il est et ne souhaite pas le changer. Et comme l'amour d'un chat est toujours de l'amour, comme tout amour émane de la même grotte douce et fraîche au fond de ma poitrine et y retourne, j'ai donc la possibilité de m'accueillir et d'accueillir d'autres créatures bipèdes avec la même attitude ouverte d'acceptation, de curiosité et d'émerveillement.

Mes amies qui ont des enfants affirment que c'est la qualité de l'amour qui est si unique, le fait que l'on s'abandonne complètement à cet amour et qu'à travers cet abandon, on s'ouvre à ses sentiments les plus profonds. Ce n'est peut-être pas le fait d'avoir un enfant qui est si frappant, mais bien l'existence de cet amour inconditionnel, de cette joie, de ce bonheur qui peuvent s'exprimer à travers l'enfant. Aimer enfin d'un amour irrévocable sans rien retenir. Peut-être que la magie — l'amour, le bonheur, la satisfaction profonde — est toujours présente en nous comme une rivière souterraine, mais que nous ne pouvons jamais la voir ni la connaître parce que nous la cherchons toujours à l'extérieur, dans nos accomplissements, dans notre poids et chez les autres.

Blanche ouvre les yeux, cligne deux fois. Il se lève, s'étire le dos, saute en bas du fauteuil et attend patiemment près de la porte. Je le laisse sortir et constate qu'il surveille un geai bleu pour la millième fois et se comporte comme s'il n'avait jamais vu d'oiseau de sa vie. Je remarque le plaisir avec lequel je l'observe et aussi, le fait que ce plaisir n'est pas lié à notre relation; il n'appartient pas à Blanche ni même à Blanche et à moi. C'est une sorte de bonheur doré et soyeux, une onde lumineuse qui semble naître d'elle-même à l'intérieur de moi. C'est précisément ce bonheur que j'ai cru pouvoir ressentir si j'étais assez mince, assez célèbre, assez aimée.

Voilà donc les cadeaux que me fait Blanche: la conscience de pouvoir éprouver cette sorte de bonheur, et l'expérience de ce bonheur comme une chose déjà présente en moi, qui ne dépend pas du fait que j'accomplisse la bonne séquence d'actions.

Blanche prend l'oiseau en chasse puis s'absorbe dans la contemplation d'une chenille tachetée de safran. Au bout d'un moment, il se désintéresse de la chenille, se dirige vers une flaque de soleil et se roule dans la poussière. Continue de rouler d'un côté et de l'autre, se dorant au soleil, sa fourrure offrant un abri douillet aux fourmis, aux puces et aux feuilles. Le soleil est chaud et cuivré, le ciel, une mare bleu pâle. Je me sens comme le goût de la pastèque: clair, mielleux, infini. Une fleur de bougainvillée tombe et s'accroche à mes cheveux. Tandis que je rentre dans la maison et éprouve la fraîcheur des lattes du plancher sous mes pieds, je me dis que c'est à cela que ressemble la véritable satisfaction.

CHAPITRE HUIT

LE DÉSIR DE TROUVER UN ABRI SÛR

Je suppose qu'on pourrait dire que le 17 octobre 1989 était une mauvaise journée pour les cheveux.

M. Lee venait de couper la première mèche de mes cheveux mouillés quand l'édifice se mit à trembler. Au début, je crus qu'un camion d'incendie dévalait la rue à toute pompe. Puis je compris qu'il s'agissait d'un tremblement de terre et me calmai. Ayant survécu à maints tremblements de terre en quinze ans, je sais qu'ils suivent un modèle prévisible: ils commencent, font du bruit, finissent. Dans un instant, celui-ci serait fini aussi. Je regardai les bouteilles de vernis à ongles rose fuchsia et rouge passion rouler en bas du comptoir; un miroir tomba dans un grand fracas de verre brisé. Des peignes hérissés de pointes qui trempaient dans des bocaux de désinfectant bleu basculèrent et s'éparpillèrent en éventail sur le plancher de tuiles brillantes.

— C'est un tremblement de terre! cria une femme aux cheveux turquoise en courant vers la porte et en s'arc-boutant contre le chambranle.

Une autre femme, les cheveux à demi montés sur des bigoudis, se mit à pousser des hurlements dans un langage tarabiscoté que je ne reconnus pas. Avisant la femme aux cheveux turquoise qui se tenait dans l'encadrement de la porte, elle courut dans cette direction mais ne put faire plus d'un pas sans perdre l'équilibre. Après sa seconde chute, elle se mit à ramper sur les mains et les genoux.

M. Lee, ciseaux en main, tentait de trouver son équilibre sur le plancher qui ondulait. L'idée m'effleura que le tremblement de terre durait longtemps et que je devrais sans doute me déplacer pour me protéger du prochain miroir qui se fracasserait, mais je restai pétrifiée dans mon fauteuil pivotant. J'avais l'impression que mon corps était enveloppé de feutre mouillé; mon esprit était un brouillard de pensées et de sentiments, chaque synapse se trouvant à des lieues de la suivante. Devais-je courir vers la porte, ramper sous un comptoir, sortir de l'immeuble? Je tentai de me rappeler pourquoi on conseillait de se tenir sous le chambranle d'une porte. Des images décousues défilèrent dans mon esprit: les bouteilles incrustées en argent qui me venaient de mon arrière-grand-mère; Blanche courant dans l'herbe des pampas en dressant sa queue caramel; l'espace entre les deux incisives de Matt; le visage de Clément, encadré par les rideaux de velours côtelé violet bordés de jaune citron, dans mon ancien appartement de la rue Cayuga. S'il y a un tremblement de terre, disait-il, rampe sous ton bureau. Mais mon bureau était loin. Je me trouvais au troisième étage d'un édifice branlant à San Francisco et le sol n'en finissait plus de se soulever.

Je n'ai pas pensé que j'allais mourir. Je n'ai pas pensé que l'édifice s'effondrerait. Je n'ai pas pensé aux incendies, à l'explosion des lignes de gaz ni aux voitures écrasées sous des poteaux de téléphone. J'ai seulement pensé que c'était le tremblement de terre le plus long que j'aie jamais connu et j'ai souhaité qu'il finisse. Tout de suite. Je m'extirpai de mon fauteuil, marchai du mieux que je pus jusqu'à la porte et attendis.

Après que ce fut fini, dans l'édifice plongé dans le noir — les lumières s'étaient éteintes faute d'électricité —, la femme aux cheveux turquoise ramassa les bouteilles de vernis à ongles, épongea le désinfectant et balaya les éclats du miroir. Je remarquai qu'elle avait le nez percé et que le bracelet de plastique qu'elle portait au bras droit s'harmonisait avec la couleur de ses cheveux. La dame aux cheveux à demi permanentés se précipita hors de l'immeuble, oubliant, ou s'en fichant éperdument, que demain, ses cheveux ressembleraient à ceux de la fille des permanentes maison Tony devenue folle.

En vrais Californiens que nous étions, M. Lee et moi fîmes comme si de rien n'était et reprîmes nos positions. Il prit ses ciseaux et se mit à couper ma frange tout en tenant des propos de coiffeur. Il me demanda où j'habitais.

— À Santa Cruz, répondis-je.

— Oh! s'exclama-t-il, allez-vous souvent à la plage?

— Chaque jour, répondis-je.

— Êtes-vous déjà allée sur la promenade? poursuivit-il.

— Une seule fois, répondis-je, en le surveillant de près tandis qu'il laissait son empreinte sur mes cheveux droits et fins. Je ne serais pas venue chez M. Lee si mon coiffeur bien-aimé n'avait pas tenté (sans succès) de se suicider avec du vin, de la cocaïne et un moteur en marche dans un garage fermé. Comme j'avais dû attendre six semaines pour obtenir un rendez-vous avec M. Lee, je me disais que soit c'était un excellent coiffeur, soit il travaillait seulement un jour par semaine.

Un homme moustachu affligé d'une calvitie naissante et portant une cravate à motif de balles de golf apporta une radio-transistor du bureau qui se trouvait de l'autre côté du couloir et la plaça sur le bureau d'accueil. «Nous venons d'apprendre que le Bay Bridge s'est effondré», beugla une voix à la radio.

Je ne le croyais pas. Ni M. Lee.

— Ces reporters exagèrent toujours, déclara-t-il. Tout ce qu'ils veulent, c'est nous inciter à écouter leur poste.

J'acquiesçai d'un léger signe de tête de crainte de détruire la ligne droite de la coupe.

— Ils feraient n'importe quoi pour rendre une histoire sensationnelle, reconnus-je.

M. Lee termina ma coupe. Ma frange, remarquai-je, n'était pas droite, mais je m'en fichais. Toute énergie avait quitté mon corps il y a longtemps, me laissant aussi fragile que de l'écorce de bouleau en décembre. Je ne cessais de penser que je voulais voir le visage de Matt, le serrer dans mes bras, sentir la chaleur de son corps. Il était parti en voyage d'affaires depuis deux semaines et nous avions rendez-vous à l'hôtel Saint-Francis à six heures trente pour un rendez-vous amoureux et un bain parfumé au jasmin. Une femme aux cheveux gris vêtue d'un tailleur rayé et d'un nœud papillon bordeaux vint à son rendez-vous de six heures avec M. Lee, mais l'électricité n'avait pas encore été rétablie et il faisait trop sombre pour qu'on y voie quoi que ce soit. Elle prit un autre rendez-vous et tout en descendant l'escalier, je songeai qu'il était injuste qu'elle dût attendre sa coupe de cheveux encore cinq semaines.

Évoquant le visage de Matt pour me soutenir, je grimpai dans ma voiture, mis le moteur en marche et me dirigeai vers Union Square. Les feux de circulation ne fonctionnaient nulle part, les poteaux de téléphone étaient tombés, les rues bloquées. Devant l'hôtel Saint-Francis, une foule d'hommes d'affaires en complets trois-pièces qui portaient des insignes porte-nom se tenaient à l'extérieur, le regard vide et l'air ahuri. Ils ressemblaient à des cerfs, figés par l'éclat des phares de voiture sur une route de campagne éclairée par la lune. Deux vraies jumelles âgées, arborant une chevelure blonde décolorée, un fard à paupières bleu vif, une robe rouge à pois, une casquette noire sans visière et des chaussures de cuir verni noir, pleuraient dans les bras l'une de l'autre au coin de la rue.

Je tentai d'attirer l'attention du portier afin de lui annoncer que j'arrivais et de lui demander où je pouvais garer ma voiture. Il était occupé à répondre aux questions de l'un des hommes d'affaires. Puis il se dirigea vers moi et je lui demandai où je devais m'enregistrer. «Il y a eu un tremblement de terre, me répondit-il. Vous ne pouvez pas vous enregistrer et il n'y a nulle part où stationner.» Il retourna vers l'homme d'affaires. Je restai assise dans ma voiture, incapable de bouger ou de penser. Je fixai les jumelles, remarquant les courts gants blancs qu'elles portaient et me demandant comment ils avaient pu échapper à mon attention quelques instants plus tôt. Ma mère disait toujours qu'une dame ne sort jamais sans ses gants de chevreau blanc à boutons de nacre. Mes pensées glissèrent vers une robe de fête en organdi bleu que j'avais portée à dix ans. Quelqu'un klaxonna. Je jetai un coup d'œil dans le rétroviseur. Un homme portant des lunettes de soleil à verre réfléchissant et une queue de cheval blonde me faisait signe d'avancer.

Matt. Je devais trouver Matt.

Je regardai ma montre. Il était six heures trente. L'avion de Matt atterrissait à cinq heures et quart; il devait donc être arrivé. Je laissai ma voiture dans une zone de stationnement interdit et marchai jusqu'à l'hôtel. Quelques chandelles plantées ici et là et deux ou trois lampes de poche éclairaient le hall où régnait la plus grande confusion. Une multitude de gens étaient rassemblés en groupes; certains tournaient en rond dans un espace restreint; d'autres étaient debout, immobiles, les yeux dans le vague. L'air semblait carbonisé comme si l'oxygène avait été utilisé en entier depuis un moment. J'eus l'impression de monter sur le plateau de tournage d'un vieux western et d'observer ce qui restait d'un hôtel autrefois élégant. En m'éclairant au moyen de la lampe de poche en plastique de mon porteclés, je me faufilai à travers la foule jusqu'au bureau de la réception, qui était éclairé par trois chandelles. La femme devant moi pleurait: «Je dois trouver ma fille, disait-elle. Je dois trouver ma fille. Elle a pris l'ascenseur juste avant le tremblement de terre. Elle n'a que huit ans et elle est coincée dans l'ascenseur. Ne pouvez-vous rien faire? Elle doit être terrifiée. Vous devez la sortir de là. Je vous en prie, pouvez-vous la sortir de là? Elle n'a que huit ans. Je lui ai dit que je l'attendrais ici.»

Le préposé, vêtu de l'uniforme de l'hôtel à rayures grises et noires, était manifestement dépassé par la terreur non seulement de cette cliente mais de tous les visiteurs qui étaient venus à San Francisco dans l'espoir de se promener sur Fisherman's Wharf, de monter à bord des voitures tractées par câble, d'acheter du chocolat chez Ghirardelli, et qui découvraient, au lieu de cela, que le mince placage qui consiste à savoir ce que nous réserve l'instant suivant avait été détruit en sept secondes.

Il s'inclina vers la dame en extirpant un brin de compassion de son cœur lessivé.

— Je suis désolé, vraiment désolé que votre fille soit coincée dans l'ascenseur. Nous faisons tout notre possible en ce moment, et dès que l'électricité sera rétablie, vous la reverrez. Elle n'est pas en danger, ne vous inquiétez pas.

Puis son regard glissa par-dessus la dame pour se poser sur moi.

— Puis-je vous aider?

— J'aimerais savoir si mon mari s'est enregistré à l'hôtel, et s'il ne l'a pas fait, j'aimerais l'attendre dans notre chambre.

— Nos ordinateurs sont en panne, dit-il simplement. Nous n'avons aucun moyen de savoir si votre mari est ici ou non. S'il est arrivé après le tremblement de terre, il n'aurait pas pu se rendre à sa chambre parce que nous n'aurions pas su quelle chambre lui donner, et les ascenseurs ne fonctionnent plus. Il se trouve peut-être dans le hall. Pourquoi ne le cherchez-vous pas ici?

— Vous voulez dire que personne ne peut s'enregistrer? Je ne peux pas dormir ici ce soir?

— C'est bien le cas malheureusement. Rien ne peut se passer tant que l'électricité n'aura pas été rétablie, et nous ignorons quand cela sera fait. Puis-je vous aider? demanda-t-il en regardant par-dessus mon épaule la personne qui attendait derrière moi.

Me détournant du préposé, je restai debout près du comptoir et scrutai le hall. Ce n'est pas vrai, pensais-je, ce n'est pas vrai. Engourdie et tout à fait désorientée, je marchais dans l'obscurité en trébuchant sur des fauteuils, des pieds, des tables à café et en appelant Matt. S'il était arrivé à temps, il serait venu me rencontrer ici. J'étais certaine de le trouver et, du même coup, de trouver un sentiment de sécurité.

— Matt, appelai-je, Matt, es-tu là?

Pas de réponse. Je traversai le bar, le salon de thé, le restaurant. Matt, Matt. L'obscurité engloutissait le son de ma voix et j'avais beau l'appeler, je ne pouvais pas le faire apparaître de par ma seule volonté.

Au verso d'un reçu d'épicerie, j'écrivis: «Je suis rentrée à Santa Cruz en voiture. Je t'aime. Si tu le peux, rentre à la maison.»

Je passai devant la file qui attendait à la réception et remis la note au préposé. Il parlait à une femme dont la mère de soixante-dix-huit ans, elle aussi coincée dans l'ascenseur, avait besoin de médicaments pour le cœur. Il griffonna le nom de Matt sur une enveloppe et je partis.

Ma voiture était toujours là. De même que les jumelles, le portier, les complets trois-pièces. Mes mouvements s'enchaînaient l'un à l'autre. Ouvrir la portière. Enfoncer la pédale d'embrayage. Passer en première. Tourner le volant. Conduire. Je jetai un coup d'œil au réservoir d'essence, remarquai qu'il était plus qu'aux trois quarts vide, ce qui était insuffisant pour parcourir les cent vingt kilomètres qui me séparaient de Santa Cruz. J'avais entendu dire que les stations-service fermaient souvent après un tremblement de terre en raison des risques de rupture des conduites de gaz et d'explosion. Je me rendis compte qu'il me faudrait peut-être passer la nuit, quelques nuits même, sur le bord de la route jusqu'à ce que l'électricité soit rétablie, que les motels rouvrent leurs portes et que les stations-service puissent pomper de l'essence. Je n'avais ni eau ni nourriture, j'étais en proie à un début de fièvre; je tremblais, transpirais, tremblais, transpirais. Pourtant, il n'y avait rien d'autre à faire que conduire. Ce que je fis.

Je décidai d'emprunter la route côtière au lieu de passer par l'intérieur des terres. Si je devais passer quelques nuits sur le bord de la route, ce serait plus facile près des plages, des collines couleur de blé. J'allumai la radio, appris que Santa Cruz avait été détruite, que le plafond de l'aéroport de San Francisco s'était effondré, et qu'un tas de gens avaient été tués. Chaque reportage sur Santa Cruz était pire que le précédent: l'université brûlait, le centre commercial du centre-ville s'était affaissé, les gens couraient dans les rues à la recherche de leurs enfants, de leurs animaux. Destruction.

Des scènes du film *Testament* mettant en vedette Jane Alexander me revinrent à l'esprit. Sa famille et elle menaient une banale vie de banlieue avant que n'explose une bombe nucléaire. La jeune femme ne revit jamais son mari, parti en voyage d'affaires, et ses enfants moururent à petit feu d'une mort atroce causée par les radiations. J'avais regardé le film en compagnie de mon amie Ellen dans ma chambre à coucher décorée de dentelle blanche. Au début du film, nous croquions du maïs soufflé; à la fin, nous étions paralysées. La pensée que notre vie pouvait être anéantie en une seconde, le fait qu'il existait suffisamment d'armes nucléaires pour détruire le monde cent fois nous terrifiaient. Que faire quand on sait cela? nous demandions-nous. Comment se brosser les dents, sortir les ordures, manger ses céréales quand toute sa vie ne tient qu'à un fil fragile et tremblant?

Nous ne répondîmes jamais à ces questions. Le lendemain, je me levai, me brossai les dents, sortis les ordures, mangeai mes céréales. Faute de savoir quoi faire, je ne fis rien. En fin de compte, j'enterrai ma peur dans le jardin à côté des coquilles d'œuf compostées.

J'avisai une station-service ouverte. Je fis le plein, repris la direction de Santa Cruz, écoutai la radio, me demandai où se trouvait Matt. S'il était vivant. On n'avait pas précisé à quelle heure le plafond de l'aéroport s'était écroulé. L'avion de Matt était arrivé neuf minutes après le tremblement de terre. Se pouvait-il qu'il se soit trouvé dans l'aérogare, sous le plafond? J'avais l'impression de conduire en rêve, d'écouter la radio en rêve. Ce n'était pas moi, ma communauté, mon amoureux, mes amis, ma vie. Tout allait bien quand j'avais quitté Santa Cruz six heures plus tôt. Ma vie, c'était cela, pas ceci.

Je tournai dans ma rue sans savoir si j'allais trouver ma maison intacte ou une pile de décombres de clin bleu.

Intacte.

Le carillon éolien acheté à Big Sur était toujours accroché sur la véranda. Il était immobile, innocent, comme si rien n'était arrivé depuis la dernière fois où je l'avais vu.

J'ouvris la porte. Jane, la gardienne de maison, était en train de balayer des fragments d'assiettes, de verres, des éclats bordeaux provenant de la carafe à vin rouge de mon arrière-grand-mère. Blanche s'était caché dans l'armoire. Je me rendis à la salle de bain où, pour la première fois depuis mes douze ans, je passai la soirée affalée sur le sol à vomir.

Matt appela à dix heures depuis une cabine téléphonique de l'aéroport. Il essayait de me joindre depuis des heures, ignorant si j'étais à l'hôtel, où, lui avait-on dit, je m'étais enregistrée, ou à Santa Cruz. Téléphone à ta mère, me dit-il. Elle est persuadée que tu étais sur le pont. Je t'aime. Je rentre tout de suite.

Ma mère, que je ne pus rejoindre parce que les lignes téléphoniques étaient encombrées, passa la nuit devant le téléviseur armée d'une loupe. Elle savait que j'étais allée à San Francisco en voiture ce jour-là, mais ignorait que le Bay Bridge ne se trouvait pas sur mon chemin. Craignant que je ne me sois trouvée sur le pont au moment où il s'était effondré, elle tentait de déchiffrer les plaques d'immatriculation des voitures qui pendaient des poutrelles ou étaient aplaties comme des boîtes de soupe recyclées sur la travée inférieure.

Il y eut sept cents ondes de choc — de nouveaux tremblements de terre — au cours des semaines qui suivirent. Aucune de mes amies proches ne perdit sa maison. Toutes perdirent le sentiment de sécurité qui découle de la croyance que la vie est prévisible, que ce que l'on a et est aujourd'hui sera intact demain. Elles adoptèrent des comportements puérils, émaillant leurs propos de «jamais», «toujours» et «à partir de maintenant»:

«Je ne conduirai jamais plus sur la travée inférieure d'une autoroute.»

«Désormais, je saurai où se trouve mon fils à chaque instant de la journée.»

«Je n'irai plus jamais à San Francisco en voiture.»

«Tant que je vivrai, je ne franchirai plus jamais de pont.»

«Ma parenté de Los Angeles devra venir jusqu'ici parce que je n'irai plus jamais là-bas.»

Matt et moi achetâmes des téléphones portatifs afin de *toujours* rester en contact l'un avec l'autre. Je jurai de *toujours* garder le réservoir d'essence plein.

En se clivant, la terre avait fait de nous des enfants qui ne pouvaient plus compter sur leurs familles ni sur le sol qu'ils foulaient pour se sentir en sécurité. Nous étions effrayés, inquiets, irrationnels. Le sommeil nous fuyait. C'est ce que les psychologues appellent le syndrome de stress post-traumatique et il peut durer entre six semaines et six mois. Mais cette irrationalité, ce besoin constant de me protéger de l'éventualité d'une catastrophe m'étaient si familiers que j'avais l'impression d'avoir souffert d'un trouble de stress post-traumatique toute ma vie et qu'enfin, tous les gens que je connaissais, rencontrais dans la rue, tous ceux à qui je parlais dans les magasins — toute la communauté de Santa Cruz — reflétaient le monde puéril auquel j'étais habituée.

♥

J'étais seule pendant le tremblement de terre. Peu importait que je fusse auteur, professeur, amie, que mon livre fût sur le point d'être publié. Rien n'aurait pu m'empêcher d'errer dans l'obscurité de l'hôtel Saint-Francis, de passer des heures sans savoir si mon chat, mes amis, mon amour étaient morts ou vivants. Rien n'aurait pu me protéger de l'écorchure, de la vulnérabilité que j'ai ressenties lorsque j'ai pris conscience comme jamais auparavant que tout ce sur quoi je comptais, tout ce que j'aimais pouvait être détruit en sept secondes. Et que me resterait-il? Les mêmes choses que toujours:

Corps. Sentiments. Esprit. Âme.

Pas d'objets, de titres, de travail, de relations.

Ma façon à moi de ressentir les événements. Ou ma façon de m'en protéger, d'enfouir ma peur dans le jardin à côté des coquilles d'œuf.

J'ai naturellement tendance à ensevelir les sentiments que je préférerais ne pas ressentir. Après vingt ans de thérapie, treize ans de pratique spirituelle, bien que je sache que la seule façon de s'en sortir consiste à passer à travers, j'ai encore tendance à fuir ce qui est difficile — même si ce qui est difficile est vrai, est

réel — et à faire semblant, à nier. Comme si je pouvais faire disparaître mes sentiments en les ensevelissant. Comme si l'invisible n'entraînait pas de répercussions.

Durant la semaine qui suivit le tremblement de terre, tandis
que je faisais la navette entre Berkeley et Santa Cruz, j'avais
l'impression d'être suspendue entre deux mondes radicalement
différents. Le tremblement de terre n'avait pas touché Berkeley,
et nos amis de là-bas avaient encore confiance dans le sol qu'ils
foulaient. Dans les réunions, la terreur était absente et les gens
plaisantaient à propos du tremblement de terre. Ils éprouvaient
le faux sentiment de sécurité qui découle de la conviction que
la vie de demain sera pareille à celle d'aujourd'hui. Santa Cruz
continuait de se soulever sous les ondes de choc. Le centre
commercial du centre-ville s'était vraiment effondré; la ville était
détruite, réduite à un tas de décombres. On ne pouvait pas
détourner les yeux, prétendre qu'une catastrophe n'était pas
arrivée. Ne pouvait pas se produire de nouveau dans cinq ans,
la semaine prochaine. À tout moment.

Bien des gens quittèrent la Californie après le tremblement
de terre de 1989. Et encore plus après celui de 1993. Matt et moi
en discutâmes, de même que nos amis. Nous envisageâmes de
déménager au Nouveau-Mexique, au Colorado, en Oregon, en
Australie. Le Sud-Ouest possédait des usines nucléaires; le
Nord-Ouest était enseveli sous le brouillard et la pluie dix mois
par année; l'Australie avait des trous dans sa couche d'ozone.
Ma mère voulait que je prenne l'avion pour New York et reste
avec elle jusqu'à ce que cessent les ondes de choc. Mieux encore, disait-elle, reviens à New York pour de bon. Il faut que tu
sois dingue pour rester en Californie. Il y aura certainement
d'autres tremblements de terre et la prochaine fois, tu te trou-
veras peut-être pour de vrai sur le pont. New York, maman?
répondais-je. Tu penses vraiment que je serais plus en sécurité
à New York qu'à Santa Cruz?

Nous sommes restés en Californie parce que c'était chez
nous. Parce qu'on ne peut échapper au fait qu'à tout instant, un
certain nombre de circonstances, d'événements, de gens peuvent

transformer notre vie du tout au tout. Parce que la sécurité n'existe pas à l'extérieur de soi-même, pas même dans la terre.

Pendant la guerre du Viêt-nam, j'étais amoureuse du vice-président de l'université. Un jour où nous participions à une manifestation étudiante, il arborait un brassard noir pour montrer son alliance avec les étudiants qui avaient été tués à l'université de Kent. Je portais, moi aussi, un brassard noir, mais n'éprouvais aucune passion pour la cause des étudiants. Mes boucles d'oreilles noires s'harmonisaient avec mon brassard. Les années soixante ne m'ont pas transformée en activiste politique. Elles m'ont initiée aux Birkenstocks et aux jupes chinées, aux drogues psychédéliques et au yaourt. Sous leur influence, je laissai pousser les poils de mes aisselles et fis l'amour avec des hommes qui me souriaient par-dessus leur sandwich au tofu. Les années soixante m'ont donné les livres de Ram Dass et un vol sans escale de JFK jusqu'à Bombay.

C'est en Inde, où j'ai découvert que le but de la vie était de percer les voiles qui séparaient ce à quoi je m'identifiais — ma personnalité, mon corps, ma vie, mon travail, mes relations — de ce que l'on appelait Dieu, l'âme ou l'essence, que les années soixante ont exercé leur influence la plus profonde sur moi. Avant d'aller en Inde, j'ignorais qu'il existait autre chose que le désir d'être mince, belle, célèbre et aimée. Je croyais que la réalisation de ces objectifs donnerait un sens à ma vie, que mes efforts *donnaient déjà* un sens à ma vie. Une fois revenue de l'Inde, je poursuivis mes efforts pour être mince, célèbre et belle, mais je savais alors, tout comme maintenant, que quand je cherche un sens à ma vie à l'extérieur de moi-même, j'obtiens ce que les choses extérieures peuvent me donner: une fausse satisfaction. Je suis remplie mais non satisfaite. Je suis remplie mais j'en veux encore. C'est pourquoi je poursuis mon cheminement intérieur, continue de chercher ce que les soufis appellent «la perle qui n'a pas de prix».

Les gens viennent me voir parce qu'ils croient que la minceur dissoudra leur souffrance. Les participants à mes ateliers ont tout essayé: les régimes, les jeûnes, l'exercice, les régimes sans graisses, la gastroplastie, l'immobilisation des mâchoires, l'anorexie, la boulimie, le suicide. La plupart d'entre eux ont été minces au moins une fois dans leur vie. Mais ils sont incapables de renoncer au rêve qui les porte à croire qu'une chose qu'ils peuvent toucher, accomplir, maîtriser comblera le vide, nourrira leur cœur affamé.

Il est ardu — douloureux — de renoncer à ce rêve, même quand il s'est déjà réalisé une, deux, trois fois et n'a pas apporté la satisfaction escomptée. Chaque fois qu'un rêve s'avère décevant, nous le remplaçons par un autre plus important. D'accord, disons-nous, j'étais mince il y a dix ans, mais je n'aimais pas mon travail, je n'avais pas de partenaire amoureux. Maintenant que j'ai tout cela, je suis certaine qu'être mince me libérera. Je pourrai enfin cesser de penser à mon corps et vivre ma vie.

Quand je me tiens devant une salle remplie de gens qui espèrent que la minceur donnera un sens à leur vie et leur demande: «Qu'est-ce qui vous apporte la paix? Qu'est-ce qui vous rend heureux?» personne ne répond: la minceur. Mais il est effrayant de découvrir que la minceur ne peut pas et ne pourra jamais nous apporter la paix ou le bonheur, que régler nos troubles alimentaires ne comblera pas notre vide intérieur tout compte fait. Et je comprends pourquoi.

♥

Cette semaine, j'ai aperçu un pull en chenille rouge dans une vitrine. Brillant, doux. Assez long pour porter avec un collant, un pantalon, une jupe longue, un jean. En solde à la moitié du prix. J'étais avec Matt quand je l'ai vu. Nous nous rendions à un dîner, et la seule pensée de retirer mon manteau, mon pull, mon col roulé et mes boucles d'oreilles me rebutait. Au demeurant, Matt s'impatiente vite dans les magasins, et il croit que j'ai suffisamment de pulls. J'ai beau lui dire que le besoin n'a rien à voir avec l'expérience d'acheter, je sais que si je veux avoir du plaisir à essayer des vêtements, il vaut mieux que mon mari ne soit pas avec moi. Je tins donc le pull devant mon visage, mon corps, vis qu'il me donnait de l'éclat et décidai de revenir le lendemain avec ma compagne d'achat favorite, en l'occurrence ma mère.

Malheureusement, le lendemain, j'oubliai mon projet et quand j'y pensai le surlendemain, il était trop tard pour aller au magasin. Le troisième jour, nous prenions l'avion tôt le matin. (Je me rends compte en me relisant que je n'ai pas l'air d'une acheteuse sérieuse. Les acheteuses sérieuses n'oublient pas les vêtements excitants qui coûtent la moitié du prix, peuvent être portés avec toute leur garde-robe et ont le potentiel de rendre leur vie affriolante. Mais depuis la première fois où j'entrai dans un magasin avec ma mère et essayai une robe-chasuble vert forêt avec des brins de violette jusqu'au jour où j'achetai mes premières chaussures à talons hauts pour vingt-six dollars, jusqu'au moment et au-delà du moment où je perdis mes cheveux et découvris qu'acheter des chapeaux décorés de grosses fleurs pourpre et de rubans dorés me redonnait la vie, faire des achats occupe une place voisine de la nourriture dans ma vie en tant qu'activité prometteuse de plaisir sensuel et d'excitation, et susceptible d'apaiser ce qui me trouble.)

Donc, le pull est à New York et moi, à Aruba avec Matt, dans la résidence que sa compagnie met à la disposition de ses employés. Les interurbains coûtent cher (cinq dollars la minute) et prennent du temps (il faut dix minutes pour obtenir la communication avec la standardiste). Par surcroît, comme je ne connais pas le numéro du magasin, il me faudrait aussi payer la demande de renseignement. Comme je n'ai pas essayé le pull, je ne suis pas certaine que je l'aimerai autant sur moi que sur l'étagère. En outre, le pull n'est sans doute plus en solde. En fait, il est probable qu'il ne se trouve même plus au magasin. Et Matt a raison: je n'ai pas besoin d'un autre pull.

En supposant que tout cela est vrai, pourquoi, tandis que je contemple les flots turquoise de la mer des Caraïbes par trente-deux degrés Celsius et un temps humide, suis-je hantée par l'image d'un pull de chenille rouge?

♥

Dans mes ateliers, je demande aux participants ce qui occuperait leurs pensées s'ils ne pensaient pas à la nourriture et à leur corps la majeure partie du temps. À quoi emploieraient-ils leurs journées et leurs soirées s'ils cessaient de planifier, de rêver, de suivre un régime, de s'empiffrer?

La plupart répondent que leur vie serait fabuleuse. Ils pourraient se promener dans la rue, balancer leurs hanches minces et se sentir sûrs d'eux. Ils s'aimeraient au réveil, n'auraient pas honte de leur corps en s'endormant le soir avec leur partenaire amoureux. Ils pourraient enfin concentrer leur attention sur d'autres choses.

Quelles autres choses? leur demandé-je.

Les relations. Le travail. Leur cadre de vie. Leur qualité de vie.

D'autres buts, d'autres rêves. Qui n'ont rien à voir avec la minceur. La même chose exactement. D'autres façons d'employer leur agitation.

Notre désir, notre besoin de combler notre vide intérieur est si intense que nous refusons de sentir le vide que crée la conscience qu'aucun désir, aucun objectif n'y parviendra.

J'ai rêvé d'être mince et j'ai maigri. J'ai rêvé de devenir auteur et le suis devenue. J'ai rêvé de toucher des milliers de gens et j'ai eu cette chance. J'ai rêvé de nouer une relation amoureuse et je l'ai fait. Tous ces rêves ont alimenté mon énergie, concentré ma passion — et fini par me décevoir. Pas pour ce qu'ils sont — corps, travail, amour — mais pour ce que je voulais qu'ils représentent: la fin de ma quête, le sens de ma vie, le fondement de mon amour-propre.

Les buts et les rêves sont importants et nécessaires: ils nous motivent et nous inspirent. Mais si c'est vraiment les atteindre qui nous souhaitons si ardemment, il suffirait d'être mince une fois. De posséder un seul pull magnifique. Nous ne cessons d'obtenir ce que nous voulons et de vouloir davantage et, bien que désirer ce que l'on n'a pas soit un état d'esprit, cela indique aussi que l'objet de notre désir ne peut être touché, maîtrisé, atteint de la manière habituelle.

Si je ne pensais pas à un pull de chenille rouge, à quoi pen-serais-je? Que ressentirais-je? Je prendrais peut-être conscience de mon envie d'être à la maison plutôt qu'ici. Je me rappelle-rais peut-être la journée de juillet où ma belle-mère m'a de-mandé si j'accompagnerais Matt dans ce voyage et où j'ai ré-pondu non. Elle m'a alors raconté l'histoire d'un couple qui avait divorcé parce que la femme ne participait pas à la vie de son mari. Je me souviendrais peut-être du nuage de peur qui m'a envahie tandis que je l'écoutais en mangeant des pâtes aux épinards et aux champignons sauvages.

Me souviendrais peut-être du scalp en plastique que j'avais accroché dans ma chambre quand j'avais huit ans. J'avais dit à mon père qu'il représentait sa mère, ma grand-mère, en voulant être mignonne et imiter ma mère qui refusait de nous accompa-gner chez ma grand-mère, de participer à la vie de mon père.

Je risque de me rappeler et de ressentir la douleur, le senti-ment d'impuissance que me causait la violence croissante de mes parents l'un envers l'autre. De me souvenir que j'en blâ-mais ma mère, convaincue que, si elle se montrait conciliante et nous accompagnait lorsque nous allions déjeuner au restaurant ou nous promener dans le Bronx les dimanches après-midi, nous pourrions former une famille, qu'elle et mon père ne se sépareraient pas.

Je pourrais imaginer un morceau de métal aux rebords tran-chants et du papier de verre; ressentir l'effet du papier de verre — le grincement, le grondement, l'effort intense pour émousser les rebords. Ressentir les efforts que je déploie pour me confor-mer, pour arrondir mes angles, pour aplanir tout ce qui me dis-tingue des autres et les met mal à l'aise. La peur de perdre tout ce que je possède et tout le monde si j'ose ressentir ce que je ressens et savoir ce que je sais.

Si mes pensées n'étaient pas occupées par la chenille rouge, je pourrais être consciente de mon désir d'avoir le mariage que mes parents n'ont pas eu, quel qu'en soit le prix. Oser ressen-tir l'intensité avec laquelle je repousse tout ce que je refuse de sentir. La peur. Le sentiment d'impuissance. Je pourrais me rappeler qu'enfant, j'aimais ma mère d'un amour si grand qu'il ressemblait à une explosion de comètes et de galaxies et avait la couleur des pêches. Je pourrais revoir en pensée l'instant où j'ai compris que je ne pouvais, ne devais, n'avais absolument pas le droit d'aimer d'un amour aussi grand, que cet amour devait être limité et déterminé par le désir de l'autre.

Je pourrais me rappeler mon père, à quel point je dépendais de lui pour le rire et la tendresse, la joie et la sécurité. Comment il se transformait en monstre marin pour moi et à quel point je suis devenue sensible à ce qu'il voulait de moi, à ce que je devais être pour mériter son amour. Je pourrais évoquer notre entente tacite: il pouvait être intelligent et puissant tant que je jouais à la fillette dépendante. Je resterais petite pour qu'il puisse rester grand. Je resterais vide pour qu'il puisse me remplir. En échange, j'avais reçu la vie, rien de moins. Lorsque j'ai grandi et que nous avons cessé de jouer au monstre marin et de lire des histoires pour enfants, un désir différent a soutenu notre relation: le désir de posséder des objets. Des poupées. Des vestes de lapin. Des pulls en angora pourpre.

Un pull en chenille rouge. Vouloir des choses qui pouvaient être données ou obtenues facilement plutôt que ce qu'aucun de mes parents ne pouvait me donner: être vue, être connue. Être estimée pour la plénitude que j'incarnais déjà.

Attablée dans notre chambre d'hôtel, je pourrais prêter attention à la terreur qui m'envahit chaque fois que je commence à me sentir pleine, grande, puissante. Je perdrai l'amour de mon père. L'amour de Matt. Je pourrais noter également comment je ressens cette peur dans mon corps. Des cordes bistres et visqueuses qui s'enroulent autour de ma poitrine, compressant mon cœur et mes muscles. Je pourrais respirer dans la peur au lieu de la repousser. M'apercevoir que, quand j'accepte de ressentir cet étranglement, il se transforme et s'ouvre sur une sorte de tunnel fluide et sombre dans lequel je suis aspirée. Et si j'accepte de respirer, de glisser, de continuer de glisser, si je ne me laisse pas effrayer par les sensations inattendues, je pourrais remarquer que j'atterris dans un pré où il fait nuit et que le ciel est une explosion de comètes, de galaxies tout entières. Et que les explosions, la lumière ne sont pas seulement à l'extérieur de moi, mais à l'intérieur aussi. Si, à ce moment-là, je ne me pensais pas devenue complètement maboule, si je n'essayais pas de retourner à mon univers quotidien dominé par la peur et la rigidité, si je laissais les événements suivre leur cours, je pourrais respirer dans la galaxie de mon corps et me sentir aussi infinie que l'espace, aussi profonde que l'indigo du ciel.

Dans la chambre 418 de l'hôtel Sonesta, je pourrais me rappeler, même pendant une seconde, qui je suis lorsque je ne crains pas de savoir ce que je sais et de sentir ce que je sens. Je pourrais être tellement consciente de ma valeur à ce moment-là que j'aurais la certitude que personne ne peut me l'enlever parce que personne ne me l'a donnée en premier lieu.

Si mes pensées n'étaient pas occupées par la chenille rouge. Si je ne croyais pas qu'être mince pouvait me sauver.

Mais je le crois. Nous le croyons. Nous vivons dans une culture qui soutient totalement nos désirs, les choses qui, dans notre esprit, nous confèrent de la valeur. Être mince. Être aimée. Porter de la chenille rouge.

Anne Wilson Schaef*:

La société dans laquelle nous vivons a besoin de dépendances et elle les favorise de par son essence même. Elle favorise les dépendances parce que la personne la mieux adaptée à la société est celle qui n'est ni morte ni vivante, mais seulement engourdie, un zombi. Morte, elle est incapable d'effectuer le travail de la société. Vivante, elle s'élève sans cesse contre un grand nombre de phénomènes sociaux: le racisme, la pollution de l'environnement, la menace nucléaire, la course aux armements, l'eau non potable, les aliments carcinogènes.

---

* *When Society Becomes an Addict,* New York, Harper & Row, 1987. *(N.d.T.)*

Notre tâche consiste à accepter de savoir ce que nous savons, d'être ce que nous sommes quand nous ne nous définissons pas en fonction de notre poids, du contenu de nos peurs et du fait que nous sommes aimées tel ou tel jour.

Notre tâche consiste à accepter de ne pas savoir. À comprendre que, si nous croyons qu'être minces ou aimées nous rendra heureuses, c'est parce que nous avons remplacé une chose qu'il est possible d'obtenir (la minceur) par une chose que nous doutons de pouvoir obtenir (la certitude absolue que nous méritons d'exister). On nous a affirmé que notre salut dépendait de notre minceur, et remettre en question les croyances de la majorité nous isole et nous effraie.

Notre tâche consiste à sonder honnêtement nos sentiments. Qu'est-ce qui nous procure un sentiment de paix et de joie, stimule notre amour-propre? Est-ce l'argent, la minceur, un pull de chenille rouge? Il ne s'agit pas de juger ces choses. Ou de s'en priver. Elles sont très bien pour ce qu'elles sont; elles nous apportent ce que les choses extérieures peuvent apporter. Mais si vous avez été mince une fois et avez engraissé, et que toute votre vie, votre cœur et votre énergie, tout votre temps, tous vos rêves tendent vers le moment où vous serez de nouveau mince, vous êtes prisonnière d'un cycle de faux espoirs, de croyances erronées et d'illusions. Vous vivez dans un univers de mensonges. Parce que si vous croyez qu'être mince ou être, avoir ou faire quoi que ce soit comblera votre vide intérieur, vous niez la possibilité que vous êtes aussi vaste qu'une galaxie, aussi mûre qu'une pêche, aussi infinie que l'espace. Vous niez la possibilité — la réalité — que vous êtes déjà entière. Vous niez le fait que la plénitude, le bonheur, l'estime de soi, la paix ne dépendent pas d'une silhouette, d'un compte bancaire ni des caprices d'une autre personne. Ces attributs dépendent uniquement de votre capacité de les reconnaître et de les honorer en vous tels qu'ils existent déjà.

Partez de là où vous êtes: vous voulez être mince; vous voulez un pull rouge; vous voulez plus d'argent; vous voulez trouver l'âme sœur. Puis mettez-vous en route: interrogez-vous, explorez, foncez.

Nous cherchons sans cesse la sécurité. La plupart des femmes croient la trouver dans le fantasme de la minceur. Les femmes qui sont minces ou l'ont déjà été projettent cette illusion sur une carrière, des enfants, un partenaire amoureux, des vêtements, le succès, l'argent. Certes, l'illusion ultime consiste à croire que, lorsque tout le reste échoue, la terre est un endroit sûr. Nous pouvons compter sur le soleil et le vent, sur le fait que le printemps succédera à l'hiver, que les carouges à épaulettes fendront de nouveau le ciel. Mais cela aussi est un mensonge.

♥

Deux mois avant le tremblement de terre, Matt et moi avions acheté une maison à Berkeley. Une maison de rêve avec trois foyers et un plancher de salle de bain en pente recouvert de mosaïques. Nous avons déménagé le lendemain de Noël, le 26 décembre 1989. Lorsque je suis entrée dans la maison la première fois, j'ai piqué une crise de nerfs. Si jamais il y a un tremblement de terre, ai-je dit, nous ne pourrons jamais sortir de cette maison. Les foyers vont basculer sur les portes, les patios vont s'écrouler, et nous serons piégés. Je veux déménager, ai-je dit à Matt. Nous ne sommes pas en sécurité ici.

Il a répondu que si j'éprouvais encore le même sentiment dans six mois, nous vendrions la maison. Puis il m'a demandé où j'aimerais aller.

Nous avons égrené la litanie des villes et des pays. Nous avons parlé de retourner à Santa Cruz puisque, selon les séismologues, le Grand Tremblement de terre avait déjà eu lieu à cet endroit et qu'il s'écoulerait encore un siècle avant le prochain. Il y a longtemps, toutefois, qu'il aurait dû survenir à Berkeley et dans la région de San Francisco. Selon les derniers rapports, il y a soixante pour cent de risques qu'un tremblement de terre atteignant une magnitude de sept ou plus sur l'échelle de Richter rase la région de San Francisco au cours des trente prochaines années. En consultant des cartes, nous avons découvert que notre maison de rêve se trouvait en plein sur la faille Hayward.

J'étais devenue folle. À vif, fragile, nerveuse. Chaque fois que je traversais le Bay Bridge, j'appelais ma mère depuis ma voiture, convaincue que Dieu ne me laisserait pas mourir pendant que je lui parlais. Je collai les vases, les carafes, les bouteilles de parfum sur les étagères; clouai les bibliothèques et les armoires aux murs; plaçai de l'eau, des lampes de poche, des radios, de l'argent à divers endroits de la maison. Gardai une paire de chaussures et une pince-monseigneur sous mon lit au cas où nous aurions besoin de nous frayer un chemin à travers les débris de verre, de briques et de livres. Je me préparai. Puis je vécus dans la peur.

Il y a quelques mois, j'aperçus en me réveillant une vive lueur orange à l'extérieur de ma fenêtre. Curieuse mais non effrayée, je bâillai, m'étirai, marchai à pas feutrés jusqu'à la fenêtre, tirai les rideaux. Vis que la maison voisine, à un jet de pierre de la nôtre, était en flammes. La véranda grillagée s'effondra sous mes yeux. Je criai à Matt de se réveiller et de s'habiller. Composai le 911, trouvai Blanche, sortis de la maison. Je savais que l'incendie pouvait atteindre notre maison en moins de cinq minutes et que nous avions moins de temps que cela pour rassembler ce que nous pouvions et déguerpir. Matt empoigna son ordinateur portatif, mit Blanche dans sa cage, prit son alliance et se dirigea vers la porte d'en avant. Je me ruai à gauche et à droite pour rassembler mes carnets des trente dernières années, pour la plupart lourds et encombrants. Je montai l'escalier à la course, mes cahiers dans les bras, pris la disquette du livre que j'étais en train d'écrire. Tout en traversant le salon, je me souvins des bouteilles incrustées en argent qui me venaient de mon arrière-grand-mère, des boucles d'oreilles de ma mère, de notre album de mariage. Les photos de mon enfance, les lettres de mon adolescence, la boîte à musique vernie noire que mon père m'avait offerte quand j'avais six ans. Le vase de Russie, le camée de ma mère, mes alliances. Mon ordinateur. Le crayon rembourré que Peg m'avait légué à sa mort. À tout moment, je courais à la fenêtre pour voir si les pompiers étaient arrivés, si l'incendie avait atteint le trottoir qui séparait nos deux maisons.

Je ne cessais de dévaler l'escalier les bras chargés de photographies, de bijoux, de cahiers. Je me rappelai les animaux en peluche de mon enfance — un écureuil tenant une noix entre ses pattes — et redescendis de nouveau. Trouvai l'écureuil et le basset rose qui perdait les boutons lui tenant lieu d'yeux. Décidai de prendre la tenue de patineuse en velours cordé noir de mes dix ans. Avisai le néon que Matt m'avait offert pour notre première Saint-Valentin* ensemble et qui portait nos initiales en monogramme dans un cœur. Pris cela aussi. Puis je me souvins de ma robe de mariée qui se trouvait au sous-sol. Dégringolai de nouveau l'escalier pour aller la chercher, aperçus le fauteuil berçant de mon enfance. Le tutu que j'avais porté à six ans pour un récital de ballet. Transportai ces trois objets en haut. Hors d'haleine et épuisée d'avoir monté et descendu l'escalier tant de fois en cinq minutes, je décidai de tout laisser dans la maison et de sortir rejoindre Matt qui parlait avec les voisins.

L'incendie était éteint; la moitié arrière de la maison du voisin n'était plus qu'un amas de pièces déchiquetées et calcinées. À travers la porte ouverte, je pouvais voir un fauteuil à oreilles recouvert d'un motif cachemire rose tombé sur le côté, la moitié de son coussin brûlé. Les voisins expliquèrent que l'un de leurs fils avait éteint sa cigarette sur la véranda, mais qu'elle avait continué de brûler et avait fini par y mettre le feu.

Une cigarette. Je m'étais préparée à un tremblement de terre, pas à un incendie. J'avais passé cinq ans à croire que si ma maison était détruite, ce serait parce que la terre s'ouvrirait et non pas à cause de la négligence d'un garçon de dix-sept ans.

♥

---

* Patron des amoureux. Se fête le 14 février. *(N.d.T.)*

Durant les glissements de terrain qui eurent lieu en Californie en 1982, une connaissance de mon amie Sally décida de quitter l'endroit où elle devait passer la nuit, à Aptos, pour trouver un abri plus sûr. Elle parcourut vingt-cinq kilomètres en voiture sous la pluie mêlée de neige fondante, à la recherche d'un refuge. Elle arriva à destination à dix heures du soir. À onze heures trente, la maison où elle dormait glissa hors de ses fondations et s'effondra. La femme fut tuée sur le coup. À Aptos, la maison qu'elle avait quittée n'avait pas bronché.

Je m'assis sur le trottoir, dans mon pull vert lime et le pantalon de survêtement pêche que j'avais enfilé sous ma robe de nuit de flanelle, et réfléchis à la situation. Je pensais à cette femme. Au coup de téléphone que je passais à ma mère chaque fois que je traversais le pont. Au choc que je ressentais dans la poitrine au moindre tremblement de la maison. À ma crainte que la terre soit détruite et que la vie telle que nous la connaissons prenne fin. Les pompiers me dépassèrent; mes voisins rentrèrent chez eux. Matt rentra Blanche dans la maison et donna un coup de fil. Revint dehors. En voyant que j'étais toujours assise sur le trottoir, il me jeta un regard inquiet. Est-ce l'effet du stress, chérie? demanda-t-il. Je secouai la tête.

Je commençais à comprendre que même si j'avais réussi à sortir mes cahiers, vases, alliances, photos, bouteilles, camée, boîte à musique, fauteuil berçant, néon, robe de mariée, tenue de patineuse, tutu et animaux en peluche de la maison, je n'aurais pas pu les sauver car notre rue est trop étroite pour que des camions d'incendie puissent y circuler en même temps que des voitures. Nous aurions été forcés de fuir à pied avec Blanche, les disquettes, l'ordinateur, les alliances (peut-être le camée, un carnet, une pile de photos) et nos vies. Et je me rendis compte également que rien de ce qui pouvait être dévoré par les flammes en quelques minutes ne m'appartenait. Ni maintenant ni jamais. Y compris Matt et Blanche. La vie elle-même était un cadeau précieux et temporaire, et si je vivais dans la crainte qu'elle me soit enlevée et avais l'audace de croire que je savais comment cela arriverait, je vivais dans le mensonge. Je vivais dans un monde de fantasmes et de peurs. J'aurais beau passer ma vie à me préparer et vivre dans l'appréhension perpétuelle du pire cauchemar que l'on puisse imaginer, un événement tout à fait inattendu pouvait survenir brusquement, me saisir par les pieds, les cheveux, le cœur, et me renverser.

La pensée — non, la réalité — que ma vie dépendait du fait qu'un gosse quelconque éteigne ou non sa cigarette clarifiait mes choix d'une manière extraordinaire: abandonne-toi au caractère en apparence aléatoire de la vie. Accepte l'interdépendance de ta vie et de celle des autres. Continue d'agir à propos des questions qui te passionnent. *Ou* prends toutes les précautions possibles pour te protéger d'une catastrophe qui n'arrivera peut-être jamais jusqu'à ce que tu sois secouée par un événement tout à fait inopiné. Fais tout ce que tu peux pour te conformer aux besoins des gens que tu aimes, tu provoqueras quand même de la colère, des souffrances, de l'envie. Fais tout pour te protéger contre la souffrance, tu n'en seras pas moins blessée. Bâtis un monde fondé sur la peur, sur les fantasmes et sur l'illusion qu'il existe un endroit sûr, et tu constateras, encore et encore, que cet endroit n'existe pas.

Vis ta vie comme toi seule peux la vivre ou vis un mensonge. Martha Graham*:

Il existe une vitalité, une force vitale, une énergie, une accélération qui se transforme en action à travers vous-même. Et parce qu'il n'existe qu'un seul vous, cette expression est unique. Si vous la bloquez, elle n'existera jamais à travers aucun autre véhicule et sera perdue. Le monde n'en bénéficiera jamais. Il ne vous appartient pas de juger de sa valeur ni de la comparer à d'autres expressions. Il vous incombe cependant de garder votre canal ouvert. Vous devez rester ouvert et conscient des pulsions qui vous font agir. Gardez votre canal ouvert.

---

* Danseuse et chorégraphe américaine née en Pennsylvanie en 1893. Elle a créé de nombreuses chorégraphies et exercé une influence profonde sur la danse. (*N.d.T.*)

Nous fermons notre canal lorsque nous croyons pouvoir maîtriser l'avenir et nous y préparer. Nous le fermons quand nous ne nous laissons pas animer par nos passions. Nous le fermons quand nous avons peur. Nous le fermons quand nous pensons que s'il reste ouvert, personne ne nous aimera car nous serons trop entières, trop puissantes, trop radieuses. Nous le fermons en croyant n'avoir pas droit à la paix, à la joie, à la vérité et au respect. Nous le fermons lorsque nous mangeons de façon compulsive, effectuons des achats compulsifs ou nous abandonnons à toute autre compulsion. Cette attitude compulsive vise, en fait, à fermer notre canal à un moment de notre vie où il nous paraît dangereux de le laisser ouvert.

En dépit de mes vaillants efforts dans le sens contraire, je sais que le but de la vie n'est pas de trouver la sécurité. C'est d'être ouvert. De se consacrer tout entier à la vérité, à la joie qui ruisselle dans notre vie. Sinon, peu importe ce que vous possédez, vous voudrez toujours davantage et ne serez jamais rassasiée. Mais si vous comprenez cela, alors quoi qu'il arrive, vous découvrirez un jour que vous êtes celle que vous avez toujours voulu être. Vous êtes cette personne, et non la nourriture que vous mangez, les vêtements que vous achetez, les êtres qui vous sont chers, l'argent que vous gagnez. Pendant des vies, pendant toute une éternité, pendant aussi longtemps qu'il faut à une montagne pour devenir une montagne, vous avez toujours été cette personne.

Vous êtes le festin.

Vous.

ÉPILOGUE

SEPT SOUVENIRS

Il y a cinq ans, je donnais un atelier à l'institut Omega* pendant le week-end. La deuxième journée de l'atelier, une participante qui dormait sous la tente déclara au groupe qu'elle ne s'était jamais souciée de la Terre. Elle jetait des papiers par terre et des ordures dans la rivière et ne recyclait ni journaux ni verre. Mais pendant la nuit, un changement s'était produit en elle. Les propos tenus la veille dans le groupe s'étaient infiltrés dans sa conscience et au réveil, elle avait ressenti un soupçon de gentillesse envers elle-même. «Peut-être que je ne mérite pas de me traiter aussi mal», se dit-elle. Elle expliqua qu'elle ressentait une nouvelle tendresse pour elle-même et que, sans qu'elle sache pourquoi ou comment, elle avait reporté ce sentiment sur la Terre et ramassé une boîte de soda vide en venant à la rencontre. «Je sais que cela peut paraître insignifiant à la plupart d'entre vous, mais pour moi, cela signifie que j'ai changé parce que je *voulais* ramasser la boîte. Je ne l'ai pas fait parce qu'il le fallait, mais parce que quelque chose s'est ouvert à l'intérieur de moi. Habituellement, je suis trop occupée à sentir que mes désirs et mes besoins ne sont pas assouvis pour me soucier de ce qui se passe autour de moi.»

Je ne suis pas très habile à témoigner de la tendresse à la Terre ou à moi-même. Parfois, quand je prends deux kilos, je

---

* Institut de croissance personnelle situé dans l'État de New York. *(N.d.T.)*

me conduis comme si j'avais commis un crime et quand je lis le journal, je suis souvent paralysée par l'idée que je passe tout mon temps à travailler sur moi-même alors que, dans quelques années, il n'y aura peut-être même plus de planète *où* effectuer ce travail. Mais j'essaie de me rappeler le visage lumineux de cette femme quand je doute du lien entre notre vie intérieure et extérieure, et me sens impuissante à changer quoi que ce soit.

J'essaie aussi de me rappeler ce qui suit:

Le cadeau le plus doux, le seul cadeau que nous puissions nous offrir à nous-mêmes, à notre communauté, à la Terre est notre présence la plus entière, la plus vraie. En termes simples, notre présence est ce que nous sommes ou serions si nous ne passions pas notre temps à vouloir être quelqu'un d'autre.

Le cheminement est le but. Si nos actions sont motivées par un souci de correction politique, de gentillesse ou par le bonheur qu'elles nous rapporteront un jour, ce jour ne viendra jamais et nous aurons perdu notre vie à attendre.

Le désir profond qui nous anime est la façon dont notre âme dit: «Je sais que tu croyais être arrivée, mais ce n'est pas le cas. Ne t'arrête pas ici.» Ce désir profond est la voix de l'univers (c'est-à-dire ce que bien des gens appellent Dieu) qui cherche à se manifester dans toute sa plénitude à travers nous: ce n'est pas l'expression de l'esprit égaré par le désir de posséder toujours davantage.

Il n'est pas nécessaire de renoncer à la minceur, au succès ou à l'amour parce que nous reconnaissons que ces choses ne nous apportent pas la satisfaction escomptée. Dire la vérité nous permet de les apprécier pleinement (et pour la première fois) parce que, comme il devient de plus en plus clair que notre vie ne dépend pas d'elles, nous avons moins peur de les perdre.

En fait, quand je ne m'accroche pas à l'amour ou au succès, je vis des moments de bonheur délirant. Cela vous arrivera à vous aussi.

On ne peut pas comprendre ni dépasser ce que l'on refuse d'examiner. C'est seulement quand on admet que l'on est perdu que l'on peut découvrir une nouvelle voie.

Nous possédons déjà la vraie satisfaction; *nous* sommes la satisfaction que nous recherchons depuis toujours.

Nous croyons savoir ce qui nous rendra heureuses, mais en général nous avons tort. Nous pensons que le bonheur est relié au fait d'acquérir des biens, de nouer des relations ou de trouver l'amour, mais rien n'est moins vrai. (Si c'était le cas, nous serions déjà heureuses.) Le bonheur est inhérent à la capacité de se rappeler les qualités dont on s'est coupé il y a très longtemps. L'estime de soi, la force, la volonté, la compassion, l'amour. Socrate appelait ces qualités des vérités éternelles; il disait qu'on ne peut pas enseigner aux gens le courage, l'amour ou la force, mais que nous possédons ces qualités lorsque nous nous souvenons d'elles.

J'aime beaucoup imaginer Socrate marchant dans les rues d'Athènes et enseignant à ses concitoyens que la vraie satisfaction découle du fait de se rappeler qui on est et non de l'achat de nouvelles toges blanches et de ceintures dorées et brillantes.

Enfin, nous n'aidons personne en prétendant ressentir moins, avoir moins ou être moins que ce que nous sommes.

L'univers ne s'écroulera pas si nous osons exprimer notre vastitude. En fait, il est probable que l'univers cessera de se désintégrer quand nous déciderons de le faire.

TABLE DES MATIÈRES

Imprimerie gagné ltée

IMPRIMÉ AU CANADA